D1098107

WITHDRAWN

CLÍNICA MAYO

5 PASOS PARA CONTROLAR LA HIPERTENSIÓN

Sheldon G. Sheps

Editor médico en jefe

Clínica Mayo

Rochester, Minnesota

Intersistemas
EDITORES

Publicado por Mayo Clinic Health Solutions

© 2008 Mayo Foundation for Medical Education and Research

La traducción al español de esta edición ha sido realizada por Intersistemas, S.A. de C.V. bajo la autorización de Mayo Foundation for Medical Education and Research. Intersistemas, S.A. de C.V. se hace responsable de la precisión de la misma.

ISBN 978-607-443-029-5 (Edición en español)

Edición especial para Editorial Trillas, S.A. de C.V.
División Administrativa y Editorial
Av. Río Churubusco 385,
Col. Pedro María. Anaya, C.P. 03340

Impreso en México

Acerca de la Clínica Mayo

La Clínica Mayo evolucionó de la práctica del Dr. William Worrall Mayo y la participación de sus dos hijos, William J. y Charles H. Mayo, a inicio de la década de 1900. Presionados por las demandas de su agitada práctica en Rochester, Minnesota, los hermanos Mayo invitaron a otros médicos a unírseles, siendo pioneros de la práctica privada en grupo de la medicina. Actualmente, con más de 2 000 médicos y científicos en tres localizaciones principales en Rochester, Minnesota, Jacksonville, Florida, y Scottsdale, Arizona, la Clínica Mayo está dedicada a brindar diagnósticos completos, respuestas precisas y tratamientos efectivos.

Con su vasto conocimiento médico, experiencia y pericia, la Clínica Mayo ocupa una posición sin igual como fuente de información en salud. Desde 1983, la Clínica Mayo ha publicado información confiable sobre salud para millones de consumidores, a través de varios boletines, libros y servicios en línea reconocidos. La renta de esas actividades editoriales apoya los programas de la Clínica Mayo, incluyendo la educación e investigación médicas.

Prefacio

La presión arterial alta es un problema importante. En EUA, muchos de los 65 millones de personas que tienen el problema no lo saben, y sólo cerca de 30 por ciento están dando pasos para tratarla. Aproximadamente 70 millones de estadounidenses están clasificados como prehipertensos, lo cual significa que tienen presión arterial por arriba de lo normal, lo cual los coloca en un riesgo crecientemente mayor de desarrollar hipertensión definitiva.

Una meta primaria de *Cinco pasos para controlar la hipertensión* es informar acerca de cómo se desarrolla la presión arterial alta, qué es lo que lo coloca en riesgo, cómo se diagnostica y cómo se trata. También aprenderá cómo reducir el riesgo de las múltiples condiciones asociadas con la presión arterial alta, como la enfermedad coronaria, la insuficiencia cardiaca, la insuficiencia renal, el ataque vascular cerebral y la demencia. Leerá acerca del uso correcto de medicamentos, la monitorización en casa y la atención de seguimiento regular. También encontrará los últimos datos de interés para mujeres, niños y poblaciones de alto riesgo. Todo esto ayudará conforme trabaje con el médico para tomar decisiones acertadas acerca de la atención a su salud.

Cinco pasos para controlar la hipertensión se enfoca en el papel central que juega el paciente dentro del programa de tratamiento. Además, destaca cinco elementos fundamentales: lo que come, qué tan activo es, el consumo de tabaco y alcohol, cómo maneja el estrés, y qué tan bien toma los medicamentos. Por separado, cada paso puede mejorar la salud general y reducir la presión arterial. Cuando se combinan, los pasos forman un programa personalizado diseñado para sus necesidades.

La presión arterial alta casi siempre se puede manejar con éxito. Este libro, junto con el consejo del médico personal, puede ayudarle a disfrutar una vida más larga y saludable.

Sheldon G. Sheps, M. D.
Editor médico en jefe

Equipo editorial

Contenido

Parte 2

Cómo calificar su salud

Contrario a lo que podría pensar, usted no nació para tener hipertensión. La salud está tan influenciada por el estilo de vida como por los genes. No obstante que el antecedente familiar es importante, el peso, el nivel de actividad, el nivel de estrés y los hábitos de salud juegan papeles importantes en la determinación de su futuro.

Lo que esto significa es que el futuro no está predestinado. Usted puede ser el conductor —puede jugar un papel vital en el manejo de su presión arterial y la salud en general—. Mientras más pronto se comprometa consigo mismo a mejorar el estilo de vida, mayores son las probabilidades de disfrutar una vida prolongada y productiva.

Tal vez ya conozca algunos hechos acerca de la presión arterial. Es una condición común, en especial entre los adultos mayores. Está asociada con otras condiciones como ataque vascular cerebral, ataque cardiaco, insuficiencia cardiaca, insuficiencia renal y ciertas formas de demencia. Se le llama la "asesina silenciosa" porque se desarrolla sin signos ni síntomas —puede no darse cuenta de que tiene esta afección hasta después de que ha causado un daño importante a los órganos—.

Hay algo más que debe saber: casi siempre se puede controlar la hipertensión a niveles que reducen el riesgo de enfermedad cardiovascular grave. Los medicamentos son un elemento importante para su control, pero igual de importante es qué tan bien se cuide a sí mismo. El peso, la dieta, el ejercicio, el consumo de tabaco y alcohol, y el estrés son aspectos de la vida que se pueden manejar y tratar de cambiar.

En las siguientes páginas encontrará valoraciones que ayudan a evaluar los hábitos de salud que más a menudo influencian la presión arterial. ¿Es físicamente activo? ¿Está comiendo bien? ¿Está agobiado por el estrés? ¿Está durmiendo lo suficiente? Tenga en mente que la buena salud es más que salud física. La mente y el cuerpo están estrechamente relacionados —el estado de uno influencia de manera significativa al otro—.

Utilice los resultados de estas valoraciones para identificar áreas generales o conductas específicas en las que puede trabajar para controlar la presión arterial, y ponerlo en el camino hacia una mejor salud en general.

Por ejemplo, puede descubrir que está desarrollando suficiente actividad física, pero su dieta podría necesitar un refuerzo nutricional; o podría sentir que el estrés evita que duerma lo suficiente.

Los pasos sencillos que realice ahora para mejorar su salud con el tiempo se tornarán en conductas permanentes y saludables que pueden mejorar la nutrición y el nivel de actividad física, así como reducir la presión arterial. No sólo puede reducir el riesgo de enfermedad y padecimientos, sino que también ¡se sentirá mejor y se verá genial!

Una nota importante: no vea estas valoraciones como un sustituto de la consulta con el médico. Los exámenes regulares son importantes para dar seguimiento al progreso, identificar problemas, dar orientación y apoyo, y controlar los medicamentos. Para una valoración completa de la salud necesita la experiencia de un profesional de la salud.

Le deseamos buena suerte conforme comienza su viaje de toda la vida para controlar la presión arterial, y le enviamos nuestros mejores deseos al iniciar el camino hacia un futuro saludable.

¿Tiene buena condición física?

1 ¿Tiene suficiente energía para disfrutar las actividades de tiempo libre que le agradan?

① pocas veces o nunca
② algunas veces
③ siempre o la mayor parte del tiempo

2 ¿Tiene suficiente resistencia y fuerza para llevar a cabo las tareas cotidianas de su vida?

① pocas veces o nunca
② algunas veces
③ siempre o la mayor parte del tiempo

3 ¿Puede caminar 1.5 km sin sentirse sin aliento o fatigado?

① no
② algunas veces
③ sí

4 ¿Puede subir dos pisos de escaleras sin sentirse sin aliento o fatigado?

① no
② algunas veces
③ sí

5 ¿Es lo suficientemente flexible para tocarse los pies?

① no
② algunas veces
③ sí

6 ¿Puede llevar una conversación mientras practica actividades de intensidad ligera a moderada, como una caminata enérgica?

① no
② algunas veces
③ sí

7 ¿Cuántos días a la semana practica por lo menos 30 minutos de actividad moderadamente vigorosa, como caminata enérgica o rastrillar las hojas del jardín?

① dos días o menos
② tres a cuatro días
③ cinco a siete días

¿Cuánto sacó?

El número a la izquierda de la respuesta que eligió es el valor en puntos —1, 2, o 3 puntos—. Sume los puntos de las respuestas para su calificación total.

A: Si su calificación total fue de 18 a 21 puntos, ¡felicidades! Está en el camino para una buena condición física general.

B: Si su calificación fue de 13 a 17 puntos, va por buen camino, pero su nivel de actividad podría necesitar un pequeño refuerzo.

C: Si su calificación fue de 7 a 12 puntos, es tiempo de escribir ponerse en forma en el primer lugar de su lista de pendientes.

¿Son saludables su peso y sus hábitos alimenticios?

1 ¿Cuál fue su resultado en la valoración del IMC? (Vea las páginas 56 a 58)

① obeso
② bajo de peso o con sobrepeso
③ saludable

2 ¿Cuánto mide su cintura? (Vea las páginas 58 a 59)

① considerablemente más que la medida recomendada
② ligeramente por arriba de la medida recomendada
③ la medida recomendada o menos

3 ¿Su condición de salud mejoraría si perdiera peso?

① sí
② posiblemente
③ no

4 ¿Come por motivos emocionales, como cuando se siente ansioso, deprimido, estresado, enojado o agitado?

① siempre, o casi siempre
② algunas veces
③ nunca o pocas veces

5 ¿Se sienta a comer tres veces al día de manera regular y programada?

① nunca o pocas veces
② algunas veces
③ siempre o la mayor parte del tiempo

6 ¿Cuánto tiempo tarda por lo general comiendo?

① cinco minutos o menos
② entre cinco y 20 minutos
③ 20 minutos o más

7 ¿Consume demasiados bocadillos o sustituye las comidas por bocadillos?

① sí, o casi siempre
② ocasionalmente
③ no, o pocas veces

¿Cuánto sacó?

El número a la izquierda de la respuesta que eligió es el valor en puntos —1, 2, o 3 puntos—. Sume los puntos de las respuestas para su calificación total.

A: Si su calificación total fue de 18 a 21 puntos, ¡felicidades! Su peso y sus hábitos alimenticios parecen ser saludables.

B: Si su calificación fue de 13 a 17 puntos, va por buen camino, pero podría considerar perder algunos kilos y mejorar algunos de sus hábitos alimenticios.

C: Si su calificación fue de 7 a 12 puntos, necesita hacer que el peso saludable y los mejores hábitos alimenticios sean una prioridad.

¿Está comiendo bien?

1 ¿Cuántas raciones de frutas y verduras consume en un día típico?

① una a tres, o ninguna
② cuatro a siete
③ ocho o más

2 ¿Le pone sal a los alimentos en la mesa antes de probarlos?

① casi siempre
② ocasionalmente
③ no, siempre la pruebo primero

3 Cuando compra pan, pasta y arroz, ¿qué tan a menudo compra versiones de grano entero?

① nunca
② algunas veces
③ siempre

4 ¿Cuál de los siguientes ingredientes es más probable que use para cocinar?

① mantequilla o margarina
② aceite de maíz
③ aceite de canola u oliva

5 ¿Con qué frecuencia en una semana típica come fuera de casa y pide alimentos preparados con carne y queso?

① cuatro o más veces
② dos o tres veces
③ una vez a la semana o menos

6 ¿Cuántas veces durante una semana típica consume un alimento que no contenga carne al mediodía o a la noche?

① una vez o nunca
② dos o tres veces
③ cuatro o más veces

7 ¿Qué tipo de leche consume usualmente?

① entera o ninguna
② leche al 1 o al 2 por ciento
③ leche sin grasa o leche de soya

8 ¿Qué es lo más probable que consuma cuando tiene sed?

① refresco endulzado regular
② jugo de fruta
③ agua u otra bebida sin calorías

¿Cuánto sacó?

El número a la izquierda de la respuesta que eligió es el valor en puntos —1, 2, o 3 puntos—. Sume los puntos de las respuestas para su calificación total.

A: Si su calificación total fue de 21 a 24 puntos, ¡felicidades! Está haciendo buenas elecciones y está comiendo de una manera saludable.

B: Si su calificación fue de 15 a 20 puntos, va por buen camino, pero su menú diario podría mejorar.

C: Si su calificación fue de 8 a 14 puntos, podría necesitar algunas ideas nuevas acerca de la buena comida.

¿Cómo están sus demás conductas?

1 ¿Fuma cigarrillos, puros o pipas, o usa tabaco inhalado o para mascar?

① sí
② muy pocas veces
③ no

2 ¿Toma más que una cantidad moderada de alcohol? (Una cantidad moderada es una copa al día para los varones mayores de 65 años y mujeres, y dos copas para varones menores de 65 años.)

① sí, a menudo
② algunas veces
③ nunca, o pocas veces

3 ¿Visita a un profesional de la atención a la salud para revisiones regulares?

① no
② algunas veces
③ sí

4 ¿Despierta muchas veces durante la noche o ronca mientras duerme?

① a menudo
② ocasionalmente
③ nunca, o pocas veces

5 ¿A menudo se siente somnoliento durante el día y tiene problemas para funcionar debido a que está cansado?

① a menudo
② ocasionalmente
③ nunca o pocas veces

6 ¿Cómo califica su capacidad para manejar el estrés diario?

① mala
② regular
③ buena

7 ¿Con qué frecuencia se siente triste, deprimido o pesimista acerca de lo que está pasando a su alrededor?

① a menudo, o siempre
② ocasionalmente
③ nunca, o pocas veces

¿Cuánto sacó?

El número a la izquierda de la respuesta que eligió es el valor en puntos —1, 2, o 3 puntos—. Sume los puntos de las respuestas para su calificación total.

A: Si su calificación total fue de 18 a 21 puntos, ¡felicidades! Está tomando sabias decisiones acerca de su salud.

B: Si su calificación fue de 13 a 17 puntos, va por buen camino, pero hay espacio para mejorar.

C: Si su calificación fue de 7 a 12 puntos, sus conductas podrían estar poniendo en riesgo su salud. Seleccione áreas en donde pueda hacer mejorías y trate de trabajar en ellas.

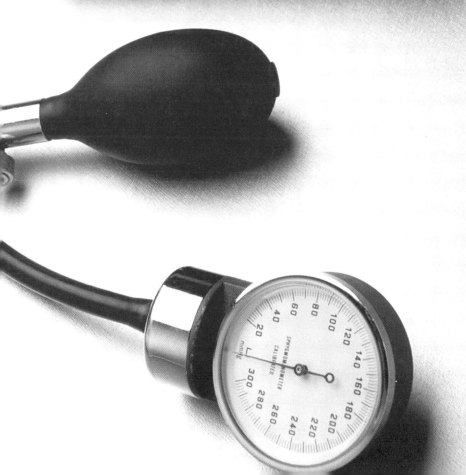

Parte 1

Aspectos básicos de la presión arterial

Capítulo 1

¿Qué es
la hipertensión?

Si a usted le sucede como a muchos, su presión arterial puede estar demasiado alta. Desafortunadamente, muchas personas piensan que tener presión arterial alta no es un gran problema. Pero de hecho sí lo es.

Si se deja sin tratamiento, la hipertensión puede hacer que el corazón trabaje demasiado y que las paredes de las arterias se endurezcan, lo cual dificulta que la sangre fluya. Es una de las principales causas de discapacidad o de muerte debido a ataque vascular cerebral, ataque cardiaco, insuficiencia cardiaca, insuficiencia renal y demencia.

Afortunadamente, las revisiones regulares, un buen plan de tratamiento y el compromiso personal pueden ayudar a tomar el control del problema y reducir el riesgo de complicaciones serias de salud.

Tomar
la enfermedad
con seriedad

La presión arterial alta —también llamada hipertensión— es la enfermedad crónica más frecuente en Estados Unidos. De acuerdo con el *National Heart, Lung, and Blood Institute* (NHLBI), casi 65 millones de estadounidenses tienen hipertensión, alrededor de uno de cada tres adultos . Este total representa un aumento de 30 por ciento sobre la última década en el número de adultos con hipertensión.

Se estima que otros 70 millones de estadounidenses adultos están considerados como prehipertensos. Estos individuos tienen un nivel de presión arterial justo por debajo de la categoría "alta". Estudios indican que las personas con prehipertensión son las más susceptibles de desarrollar presión arterial alta persistente y complicaciones cardiovasculares importantes.

La hipertensión no ha tenido la atención que merece. A menudo se la llama la "asesina silenciosa" debido a que muchas personas afectadas no saben que la tienen. La enfermedad, por lo general, no produce signos ni síntomas hasta que ha progresado a una etapa avanzada. De aquellos que tienen la presión arterial alta, cerca de 70 por ciento están conscientes de su condición, pero sólo 30 por ciento ha dado pasos para controlarla.

"Controlar" significa reducir la presión arterial a un nivel que reduzca el riesgo de enfermedad cardiovascular y otras complicaciones. Pero al controlar la presión arterial, muchos factores pueden complicar el panorama. Uno es la edad. Las personas pueden desarrollar hipertensión a cualquier edad, pero el riesgo aumenta conforme envejecen. De acuerdo con el estudio *Framingham Heart Study* del NHLBI publicado en 2002, los estadounidenses que tienen presión arterial normal a la edad de 55 años todavía enfrentan 90 por ciento de riesgo en su vida de desarrollar hipertensión.

Otro factor es la raza. Cerca de 29 por ciento de los estadounidenses de raza blanca mayores de 18 años tiene presión arterial alta. Entre los de raza negra, el número aumenta a 39 por ciento. Para los estadounidenses de origen mexicano, es de 28 por ciento, y este grupo étnico ha visto un aumento intenso en el número de personas con hipertensión durante la década pasada.

Tomar el control de su condición

También hay buenas noticias que dar. La hipertensión no tiene que ser mortal o discapacitante. La afección es una de las formas más tratables de enfermedad cardiovascular. Si sabe que tiene la presión arterial alta, hay medidas que puede tomar para reducirla.

Mantener la presión arterial dentro del rango normal por cinco o más años reduce en gran parte los riesgos de ataque cardiaco, ataque vascular cerebral e insuficiencia renal. Éste es el tema en que le puede ayudar este libro. Los capítulos de la Parte 1 describen los aspectos básicos de la presión arterial alta, con detalles en los factores de riesgo, detección y diagnóstico.

La Parte 2 presenta cinco pasos específicos que puede dar para controlar la presión arterial. Los pasos incluyen cambios en el estilo de vida y medicamentos. Cada capítulo incluye estrategias que son sencillas y fáciles de llevar a cabo. No hay regímenes estrictos o números que seguir. Esto son pasos que todos pueden dar. Esta información le ayudará a tener la presión arterial bajo control y lo guiará para librar obstáculos que pueden fácilmente desviar su programa de tratamiento.

El primer capítulo en la Parte 3 le informa acerca del tratamiento cuando está en casa o lejos del consultorio del médico, incluyendo cómo medir uno mismo la presión arterial, evitar interacciones medicamentosas y reconocer una emergencia. El segundo capítulo se enfoca en la presión arterial alta en relación con grupos específicos, como mujeres y niños, o a una afección concurrente, como enfermedad cardiovascular o diabetes.

Puede tener una larga vida y vivir bien después de recibir un diagnóstico de hipertensión. Pero debe estar dispuesto a hacer su parte. El mejor curso de tratamiento prescripto por el médico es sólo tan efectivo como su

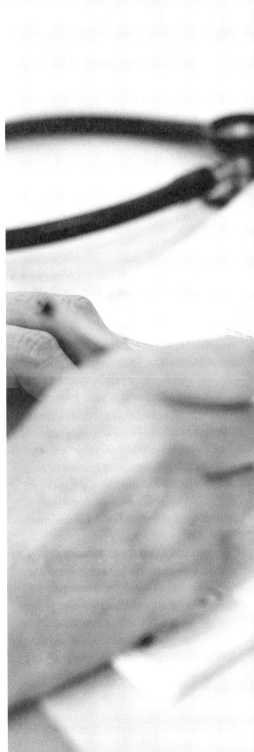

motivación para mantener dicho programa. Ya sea que su condición se haya diagnosticado recientemente, la haya tenido por muchos años, o que simplemente quiera prevenirla, encontrará cómo las acciones en la vida diaria afectan la presión arterial y aprenderá formas de transformar los malos hábitos en saludables.

Comprender la presión arterial

Para comprender cómo se desarrolla la hipertensión y por qué se convierte en un peligro para la salud, es útil saber algunos de los aspectos básicos del sistema cardiovascular y los órganos que ayudan a regularlo.

Sistema cardiovascular

Cada latido del corazón libera una oleada de sangre rica en nutrientes y oxígeno desde la principal cámara de bombeo del corazón (ventrículo izquierdo) hacia una red intrincada de vasos sanguíneos (véase la ilustración de la página 21). Las arterias son los vasos sanguíneos que llevan la sangre del corazón hacia el resto del cuerpo. La arteria más grande, llamada aorta, está conectada al ventrículo izquierdo y sirve como el principal canal desde el corazón. La aorta se ramifica en arterias más pequeñas, las cuales se bifurcan en arterias todavía más chicas, llamadas arteriolas.

Los vasos microscópicos llamados capilares llevan sangre de las arteriolas hacia los tejidos y órganos del cuerpo. Los capilares intercambian nutrientes y oxígeno por dióxido de carbono y otros productos de desecho producidos por las células. Esta sangre sin oxígeno regresa al corazón a través de un sistema de vasos sanguíneos llamados venas.

Cuando la sangre dentro de las venas llega al corazón, es dirigida a los pulmones en donde libera el dióxido de carbono y acarrea un nuevo suministro de oxígeno. La sangre oxigenada se envía de nuevo al corazón, lista para reanudar el viaje a través del sistema cardiovascular. Otros productos de desecho se eliminan conforme la sangre pasa a través de los riñones e hígado.

Se requiere cierta cantidad de presión para mantener esta circulación y mantener los 5 litros de sangre moviéndose por el cuerpo. La presión arterial es la fuerza ejercida en la pared de las arterias para mantener la sangre en flujo continuo.

La presión arterial, con frecuencia, se compara con la presión dentro de una manguera de jardín. Sin aplicar una fuerza, el agua no puede pasar de un extremo de la manguera hacia el otro.

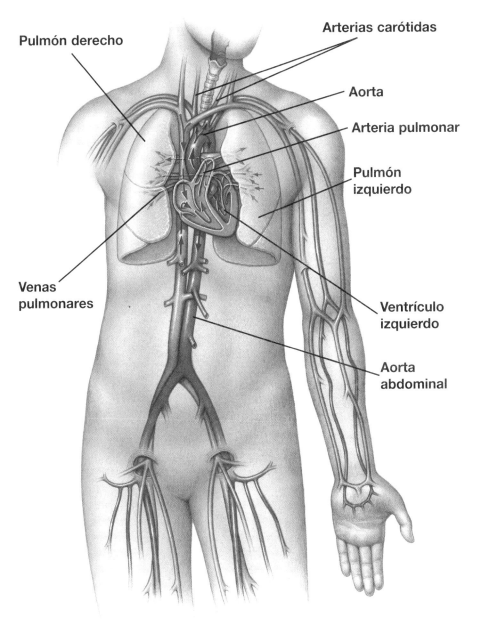

Pulmón derecho

Arterias carótidas

Aorta

Arteria pulmonar

Pulmón izquierdo

Venas pulmonares

Ventrículo izquierdo

Aorta abdominal

Sistema cardiovascular

Cada vez que el corazón late, la sangre es liberada desde el lado izquierdo del corazón (ventrículo izquierdo) hacia el gran vaso sanguíneo (aorta) que transporta la sangre hacia las arterias (en rojo). La sangre regresa al corazón a través de las venas (en azul). Antes de que vuelva a circular, la sangre se envía hacia los pulmones a través de la arteria pulmonar para cargar oxígeno.

Reguladores de la presión arterial

Varios órganos y químicos del cuerpo trabajan juntos para ayudar a controlar la presión arterial y mantenerla para que no se eleve demasiado o disminuya mucho. Estos incluyen al corazón, arterias, riñones, varias hormonas y enzimas, y al sistema nervioso.

El corazón. El flujo de sangre en el cuerpo empieza con el corazón.

Cuando el corazón libera sangre desde el ventrículo izquierdo hacia la arteria principal (aorta), se crea cierta cantidad de fuerza por la acción de bombeo del músculo del corazón. Mientras más tenga que trabajar el músculo del corazón para bombear la sangre, mayor es la fuerza ejercida en las arterias y mayor será la elevación de la presión arterial.

Las arterias. Para ajustarse a la oleada de sangre que viene

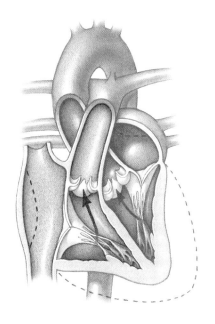
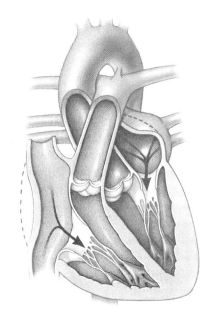

Sístole (bombeo) Diástole (descanso)

Acción de bombeo del corazón

Durante la sístole (izquierda), el músculo del corazón expulsa sangre fuera de las cámaras de bombeo del corazón (ventrículos). La sangre en el lado derecho del corazón se va a los pulmones, y la sangre del lado izquierdo es bombeada hacia el gran vaso sanguíneo (aorta) que alimenta a las arterias. Durante la diástole (derecha), el músculo del corazón se relaja y se expande para permitir que la sangre fluya hacia las cámaras de bombeo desde las cavidades cardiacas que almacenan la sangre (aurículas).

del corazón, las arterias están cubiertas con músculo liso que permite que los vasos se expandan y se contraigan conforme la sangre pasa a través de ellos. Mientras más elásticas sean las arterias, menos resistentes son al flujo sanguíneo, y el corazón necesita ejercer menos fuerza en las paredes arteriales. Cuando las arterias pierden su elasticidad, la resistencia al flujo sanguíneo aumenta y el corazón tiene que bombear más fuerte. Este aumento en la fuerza produce un aumento en la presión arterial.

Los riñones. Los riñones eliminan productos de desecho de la sangre y regulan niveles de minerales como el sodio. Mientras más sodio esté en el torrente sanguíneo, más agua se retiene. Este líquido extra puede elevar la presión arterial. Además, demasiado sodio puede hacer que los vasos sanguíneos se estrechen, lo cual origina que el corazón trabaje más y aumente la presión.

Otros factores. El sistema nervioso central, junto con los químicos del cuerpo, también tiene influencia sobre la presión arterial.

Barorreceptores. Dentro de las paredes del corazón y ciertos vasos sanguíneos se encuentran estructuras pequeñas semejantes a nódulos, llamadas barorreceptores. Similares a un termostato que regula la temperatura de la casa, los barorreceptores vigilan la presión arterial. Si detectan un cambio en la presión, envían señales al cerebro para ajustar la presión arterial al rango normal —lo cual puede incluir reducir o acelerar la frecuencia cardiaca o ampliar o estrechar las arterias—. Sin embargo, el rango "normal" que utilizan los barorreceptores es variable y se puede reajustar en respuesta a cambios pasajeros en la presión arterial.

Epinefrina. El cerebro actúa según los mensajes de los barorreceptores indicando la liberación de hormonas y enzimas que afectan la función del corazón, vasos sanguíneos y riñones. Una de las hormonas más importantes que afecta la presión arterial es la epinefrina, también conocida como adrenalina.

La epinefrina hace que las arterias se estrechen y que el corazón bombee más fuerte y más rápidamente —ambas acciones aumentan la presión ejercida en las arterias—. Las personas, con frecuencia, se refieren al efecto de liberación de epinefrina como sentirse excitado o estar con la adrenalina alta. La epinefrina es liberada en el cuerpo durante periodos de estrés o tensión intensa, como cuando está atemorizado, en medio de una discusión o apresurándose para terminar una tarea.

El sistema renina-angiotensina-aldosterona. Los riñones liberan la enzima renina hacia el torrente

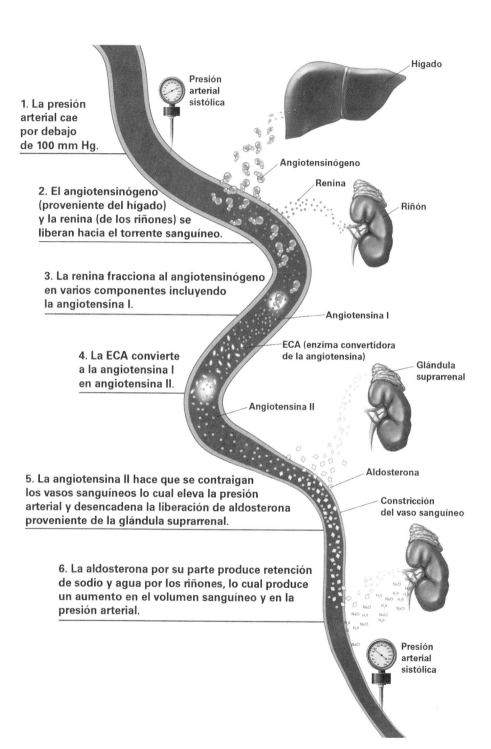

1. La presión arterial cae por debajo de 100 mm Hg.

Presión arterial sistólica

Hígado

Angiotensinógeno

Renina

Riñón

2. El angiotensinógeno (proveniente del hígado) y la renina (de los riñones) se liberan hacia el torrente sanguíneo.

3. La renina fracciona al angiotensinógeno en varios componentes incluyendo la angiotensina I.

Angiotensina I

ECA (enzima convertidora de la angiotensina)

Glándula suprarrenal

4. La ECA convierte a la angiotensina I en angiotensina II.

Angiotensina II

5. La angiotensina II hace que se contraigan los vasos sanguíneos lo cual eleva la presión arterial y desencadena la liberación de aldosterona proveniente de la glándula suprarrenal.

Aldosterona

Constricción del vaso sanguíneo

6. La aldosterona por su parte produce retención de sodio y agua por los riñones, lo cual produce un aumento en el volumen sanguíneo y en la presión arterial.

Presión arterial sistólica

Sistema renina-angiotensina-aldosterona

sanguíneo cuando disminuye la presión arterial. La renina trabaja en la proteína angiotensinógeno, lo cual desencadena un proceso complicado formando angiotensina II. Esta sustancia constriñe los vasos sanguíneos, lo cual aumenta la presión arterial (el proceso se ilustra en la página 24).

La angiotensina II también estimula la liberación de una hormona llamada aldosterona, proveniente de las glándulas suprarrenales localizadas en la parte superior de los riñones. Los niveles elevados de aldosterona producen que los riñones retengan más sodio y agua, lo cual también aumenta la presión.

Los efectos de estos compuestos ayudan a que el cuerpo haga ajustes a corto plazo en la presión arterial, pero estos cambios —que hacen que el corazón trabaje más— ayudan a que se produzca un engrosamiento gradual del músculo cardiaco y las paredes de los vasos sanguíneos, lo cual produce deterioro en la función.

El endotelio. Las paredes de las arterias y venas están cubiertas con una capa extremadamente delgada de células llamada endotelio. Esta capa de tejido juega un papel crucial en la regulación de la presión arterial al secretar químicos que hacen que los vasos sanguíneos se relajen o se contraigan.

Por ejemplo, el endotelio contiene óxido nítrico el cual, cuando se libera, les indica a los músculos lisos dentro de las paredes de los vasos sanguíneos que se relajen y que se expandan, con lo cual aumenta el flujo sanguíneo y se reduce la presión arterial.

El endotelio también contiene una proteína llamada endotelina, que actúa como un potente vasoconstrictor. Las paredes de los vasos constreñidas reducen el flujo sanguíneo y elevan la presión.

Qué significan los números

Un instrumento llamado esfigmomanómetro se usa para medir la presión arterial dentro de las arterias. El dispositivo incluye un brazalete inflable que se coloca alrededor de la parte superior del brazo, una bomba de aire, y un manómetro o un medidor digital. El brazalete se infla para presionar los vasos sanguíneos dentro del brazo. Con un estetoscopio, el médico puede escuchar el pulso conforme se desinfla el brazalete, liberando la presión sobre los vasos sanguíneos.

La presión arterial se expresa en términos de milímetros de mercurio (mm Hg). La medición se refiere a qué tanta presión dentro de las arterias es capaz de elevar una columna de mercurio en el medidor de presión de un esfigmomanómetro. La presión arterial a menudo se basa en el promedio de dos o más lecturas tomadas cuando está sentado y en cada una de dos o más consultas con el médico.

Contracción y relajación del músculo cardiaco

Se incluyen dos números en una lectura de la presión arterial, y ambos son importantes. El primero es la presión sistólica. Ésta es la cantidad de presión dentro de las arterias cuando el corazón se contrae —sístole— y bombea sangre hacia la aorta.

El segundo número es la presión diastólica. Ésta es la cantidad de presión que permanece en las arterias entre los latidos conforme el corazón se relaja —diástole—. El músculo cardiaco se debe relajar por completo antes de que se contraiga nuevamente. Durante este tiempo, la presión arterial disminuye hasta la siguiente contracción.

Los dos números en una lectura de presión arterial a menudo se escriben como una fracción. La presión sistólica se coloca arriba o a la izquierda y la presión diastólica se coloca debajo o a la derecha. Cuando se expresa verbalmente, por lo general, se usa la palabra *sobre* para separar los dos números.

Por ejemplo, si la presión sistólica es 115 mm Hg y la diastólica es 82 mm Hg, la presión arterial se escribe 115/82, y se dice 115 sobre 82.

En los primeros meses después del nacimiento, la presión arterial de un bebé es de alrededor de 100/65 mm Hg, o 100 sobre 65. Durante la infancia, la presión aumenta lentamente. Una presión arterial ideal o normal para un adulto de cualquier edad es por debajo de 120/80 mm Hg. Ésta es una lectura que siempre debe intentar, si es posible. Para ciertos individuos que están tomando medicamentos para la hipertensión, una lectura por debajo de 120/80 mm Hg puede no ser razonable o tolerable.

Las lecturas entre 120/80 y 139/89 mm Hg se clasifican como prehipertensión. Si tiene prehipertensión, significa que la presión arterial está elevada por arriba de lo normal pero no ha entrado todavía en el rango de hipertensión —aun así está en riesgo elevado de enfermedad cardiovascular, enfermedad renal, y ataque vascular cerebral—. Tener prehipertensión debe servir como una llamada de alerta, y se debe vigilar la presión arterial, de manera regular, conforme se trata de controlar.

La hipertensión, por lo general, se diagnostica en individuos con presión arterial de 140/90 mm Hg o más. Como lo indica el cuadro de abajo, la presión arterial a 160/100 mm Hg representa una línea de división entre el estadio 1 y el estadio 2 de la hipertensión.

Subidas y bajadas diarias

Una sola lectura de presión arterial refleja sólo la presión en el momento en el que se mide. Pero a lo largo del día, la presión arterial fluctúa de manera natural. Aumenta durante periodos de actividad ya que es cuando el corazón trabaja más. La presión disminuye con el reposo o el sueño cuando hay menos demanda para el corazón. La presión arterial también fluctúa con cambios en la posición corporal, como cuando se mueve de una posición acostada o sentada a una posición de pie. (Véase "Cuando la presión arterial baja demasiado" en la página 30.)

La comida, el alcohol, el dolor, el estrés y las emociones fuertes también aumentan la presión arterial. Mientras duerme, los sueños pueden elevar la presión arterial. Estas subidas y bajadas son cambios perfectamente normales en un día típico.

Clasificación de la presión arterial

	Sistólica (mm Hg**) (número de arriba)	Diastólica (mm Hg) (número de abajo)
Normal*	119 o menos	y 79 o menos
Prehipertensión	120 a 139	o 80 a 89
Hipertensión		
Estadio 1†	140 a 159	o 90 a 99
Estadio 2†	160 o más	o 100 o más

*Normal significa el rango preferido en términos de riesgo cardiovascular.
**Los números se expresan en milímetros de mercurio.
†Con base en el promedio de dos o más lecturas tomadas en una posición sentada, y tomadas en cada una de dos o más consultas.
La hipertensión sistólica es un factor de riesgo principal para enfermedad cardiovascular, incluso sin elevación de la presión diastólica, en especial en personas mayores.

Fuente: National Institutes of Health, *2003*

La presión arterial incluso cambia con el momento del día. La presión en las arterias sigue fluctuaciones naturales durante un periodo de 24 horas. Por lo común, está en lo más alto en las horas de la mañana después de que despierta y se pone activo. A lo largo del día permanece aproximadamente al mismo nivel y después por la tarde la presión empieza a disminuir. Normalmente alcanza su nivel más bajo en las primeras horas de la mañana mientras está durmiendo.

Este ciclo de 24 horas es conocido como ritmo circadiano. El cuerpo tiene más de 100 ritmos circadianos diferentes, cada uno influencia una función corporal diferente —por ejemplo, los patrones de sueño o temperatura corporal—.

Si usted es un trabajador nocturno, el ritmo circadiano de la presión arterial es diferente al de un trabajador diurno y está estrechamente alineado con el esquema de trabajo y reposo. Éste es el motivo por el cual muchos ritmos circadianos cambian con los patrones alterados de actividad.

Cómo obtener una lectura correcta

Para tener una buena indicación de la presión arterial promedio, es mejor medirla durante el día después de que ha estado moderadamente activo durante unas cuantas horas. Si se ejercita por la mañana, es mejor medir la presión antes. Después de una actividad física extenuante, la presión arterial fluctúa antes de reajustarse a la presión arterial promedio.

Tampoco debe comer, fumar o tomar cafeína o alcohol 30 minutos antes de medir la presión arterial. La cafeína y el tabaco pueden aumentar la presión temporalmente. El alcohol puede disminuirla de manera transitoria, aunque se presenta el efecto contrario en algunas personas. Algunos medicamentos de venta sin receta, incluyendo descongestionantes, antiinflamatorios y ciertos auxiliares dietéticos, pueden aumentar la presión arterial durante horas o incluso días después de tomarlos.

Además, debe esperar cinco minutos después de que se sienta antes de tomar la lectura, de manera que la presión arterial tenga tiempo para ajustarse al cambio de posición y actividad. Medir la presión arterial bajo condiciones controladas permite observaciones más exactas acerca de cómo la persona progresa con el tiempo. Si es hipertenso, el plan de tratamiento podría incluir medir la presión arterial en casa. Véase el Capítulo 4 para instrucciones detalladas de la monitorización en casa.

Cuando la presión está persistentemente alta

Cuando el complejo sistema que regula la presión arterial no trabaja como se supone, se puede desarrollar demasiada presión dentro de las arterias. Cuando el aumento de presión dentro de las arterias continúa de manera persistente, se puede diagnosticar como presión arterial alta.

La hipertensión es el término médico para este trastorno. La hipertensión no significa tensión nerviosa, como muchas personas creen. Puede ser una persona tranquila y relajada y aun así tener presión arterial alta.

La presión arterial se considera alta si, de manera consistente, la presión sistólica —la presión que se presenta cuando se contrae el corazón— está en 140 mm Hg o más y la presión diastólica —la presión entre cada latido cardiaco— está en 90 mm Hg o más, o ambas presiones toman estos valores.

Antes, los médicos asumían que la presión arterial diastólica era un mejor indicador de los riesgos de salud asociados con la presión arterial alta. Esto ya no se cree que

suceda de manera estricta. Mientras que la presión arterial diastólica sigue siendo un indicador importante de riesgo para personas menores de 50 años, los estudios han mostrado que una lectura sistólica alta es un importante signo de alerta para riesgos de salud potenciales, en especial en adultos mayores.

Hay dos etapas independientes de hipertensión, con base en la creciente gravedad. Se refieren simplemente como estadio 1 y estadio 2. Los términos *leve* y *moderada* ya no se usan para describir las etapas de la hipertensión para evitar la posibilidad de que las personas crean, de manera errónea, que la hipertensión leve a moderada no es importante.

La hipertensión por lo general se desarrolla lentamente. Con más frecuencia, las personas empiezan con presión arterial normal que progresa a prehipertensión y, eventualmente, a estadio 1 de hipertensión. La mayoría de las personas con presión arterial alta no controlada están en el estadio 1.

Si se deja sin tratamiento, la hipertensión puede dañar muchos órganos y tejidos del cuerpo. Mientras más alta sea la presión arterial y más tiempo se deje sin tratamiento, es mayor el riesgo de que se presente daño. Incluso el estadio 1 de hipertensión puede ser

Cuando la presión arterial baja demasiado

Por lo general, mientras menor sea la lectura de la presión arterial es mejor. Pero en algunos casos, la presión arterial puede bajar demasiado, igual que puede elevarse demasiado. La presión arterial baja, llamada hipotensión, puede poner en riesgo la vida si disminuye a niveles peligrosamente bajos. Sin embargo, esto es raro.

La presión arterial baja crónica —presión arterial que está por debajo de lo normal, pero no de manera peligrosa— es muy frecuente. Puede ser resultado de diversos factores, como medicamentos para la presión arterial alta, complicaciones de diabetes y durante el segundo trimestre del embarazo.

Un efecto secundario potencialmente peligroso de la presión arterial baja crónica es la hipotensión postural, una condición en la cual se siente mareado o débil cuando se levanta demasiado rápido. En la acción de ponerse de pie, la fuerza de gravedad hará que la sangre se acumule en las piernas, lo cual produce una caída repentina de la presión arterial.

De manera normal, el cuerpo contrarresta una disminución súbita de la presión al estrechar simultáneamente los vasos sanguíneos y aumentando el flujo sanguíneo desde el corazón. Sin embargo, cuando la presión arterial es baja, de manera crónica, el cuerpo tarda más tiempo en responder al cambio. La hipotensión postural es más frecuente en la edad avanzada conforme las señales nerviosas y las respuestas del sistema de regulación se hacen más lentas.

A menudo puede evitar este problema poniéndose de pie lentamente y apoyándose en algo mientras se levanta. Espere unos segundos después de levantarse y antes de intentar caminar de manera que el cuerpo se pueda ajustar al cambio de presión.

Algunos adultos mayores, en particular aquellos que toman medicamentos para la hipertensión, pueden estar en riesgo de desvanecerse o caerse después de comer. La causa puede ser una caída en la presión arterial. Si ha experimentado caídas o desvanecimientos después de la comida, tome acciones preventivas comiendo lentamente y evitando comidas copiosas. Después de comer, descanse durante 1 hora.

Vea al médico si presenta mareo o desvanecimiento persistentes. Puede tener otra condición de salud que esté causando los síntomas o que está haciendo que empeoren más de lo normal.

dañino si continúa durante un periodo de varios meses a años. Cuando esta condición se asocia con otros factores, como diabetes, obesidad o consumo de tabaco, aumenta el riesgo de lesión por la hipertensión.

Una nota al margen: se creía que la presión arterial sistólica ideal era de 100 más la edad. Esto no es cierto. Seguir este concepto puede hacerlo pensar que la presión arterial en los estadios 1 y 2 es normal.

Signos y síntomas

La hipertensión es llamada la asesina silenciosa porque a menudo no produce ningún signo o síntoma.

Algunas personas piensan que los dolores de cabeza, mareo o sangrados por la nariz son indicaciones de presión arterial alta. De hecho, sólo algunas personas pueden experimentar sangrados por la nariz o mareo cuando se eleva la presión; pero un estudio ha encontrado que no hay una asociación directa entre los dolores de cabeza y la presión arterial alta.

Podría presentarse presión arterial alta durante años sin que la persona lo sepa. La condición a menudo se descubre durante exploraciones físicas de rutina. Los síntomas, como falta de aliento, no se presentan hasta que la presión ha avanzado a una etapa extremadamente alta —posiblemente riesgosa para la vida—. E incluso con una presión muy alta, algunas personas no presentan signos ni síntomas.

La transpiración excesiva, calambres musculares, diuresis frecuente, y latidos cardiacos rápidos e irregulares (palpitaciones) algunas veces están asociados con presión arterial alta. Pero estos signos y síntomas, por lo general, son causados por otras condiciones que pueden aumentar la presión arterial.

Complicaciones

La presión arterial necesita controlarse debido a que, si se ignora con el tiempo, la fuerza excesiva en la pared de las arterias puede dañar, en forma importante, órganos y tejidos vitales. Las partes del cuerpo que se afectan con frecuencia por la presión arterial alta incluyen las arterias, corazón, cerebro, riñones y ojos (véase la ilustración de la página 32). Algunas complicaciones pueden requerir tratamiento de urgencia.

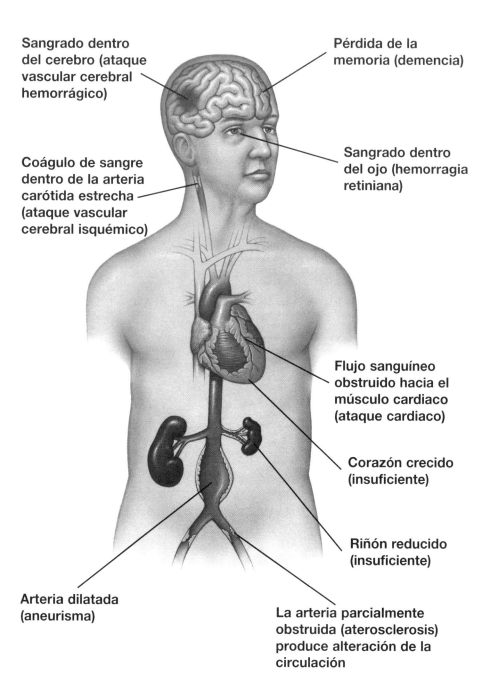

Sangrado dentro del cerebro (ataque vascular cerebral hemorrágico)

Pérdida de la memoria (demencia)

Coágulo de sangre dentro de la arteria carótida estrecha (ataque vascular cerebral isquémico)

Sangrado dentro del ojo (hemorragia retiniana)

Flujo sanguíneo obstruido hacia el músculo cardiaco (ataque cardiaco)

Corazón crecido (insuficiente)

Riñón reducido (insuficiente)

Arteria dilatada (aneurisma)

La arteria parcialmente obstruida (aterosclerosis) produce alteración de la circulación

Complicaciones de la hipertensión no controlada

Si se deja sin tratamiento, la presión arterial alta puede dañar tejidos y órganos en todo el cuerpo. Los lugares del cuerpo más afectados por la presión arterial alta incluyen las arterias, corazón, cerebro, riñones y ojos.

Daño al sistema cardiovascular

La presión arterial alta persistente crea una carga de trabajo más pesada para el corazón y la red de arterias que llevan sangre a todo el cuerpo.

Arterioesclerosis. Las arterias sanas son flexibles, fuertes y elásticas. Su capa interior es lisa, por lo tanto la sangre puede fluir a través de ellas sin restricciones. Durante un periodo de años, demasiada presión en las arterias puede hacer que las paredes se engrosen, se endurezcan y sean menos elásticas, lo cual dificulta el flujo sanguíneo. El término *arterioesclerosis* proviene de la palabra griega *sklerosis*, que significa "endurecimiento".

Aterosclerosis. La presión arterial alta acelera la acumulación de depósitos grasos en las arterias. *Ater* en el término aterosclerosis proviene de la palabra griega *"masa"* debido a que los depósitos grasos tienen una consistencia de masa.

Cuando la pared interna de una arteria se daña, las células sanguíneas y las células grasas con frecuencia se agrupan en el sitio de la lesión. Invaden y cicatrizan capas más profundas de las paredes arteriales. Las grandes acumulaciones de estos depósitos grasos se llaman placas. Con el tiempo, las placas se endurecen.

El mayor peligro de la formación de placas en las paredes de los

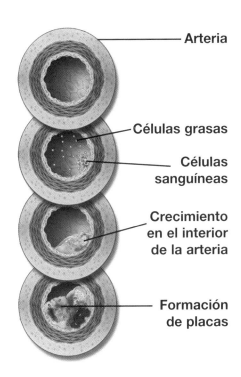

Arteria

Células grasas

Células sanguíneas

Crecimiento en el interior de la arteria

Formación de placas

Aterosclerosis

La creación de depósitos grasos en las arterias produce la formación de placas, las cuales pueden obstruir o bloquear el flujo sanguíneo.

vasos sanguíneos es que los órganos y tejidos nutridos por estas arterias estrechadas no obtienen un adecuado aporte sanguíneo. El corazón responde al aumentar la presión para mantener un adecuado flujo sanguíneo. La mayor presión produce a su vez más daño a los vasos sanguíneos.

Las placas pueden desencadenar el desarrollo de coágulos sanguíneos conforme la sangre fluye y pasa el bloqueo. A menudo, se presenta inflamación en áreas alrededor de las placas. Algunas veces, las placas se rompen y se separan, y los fragmentos se combinan con coágulos de sangre y bloquean la arteria. Los restos pueden también viajar en el torrente sanguíneo hasta que se alojan en una arteria más pequeña.

La arterioesclerosis y la aterosclerosis se pueden presentar en cualquier lugar del cuerpo, pero más a menudo afectan a las arterias en el corazón, piernas, cerebro, riñones y aorta abdominal.

Aneurisma. Cuando un vaso sanguíneo se daña, parte de la pared puede protruir hacia fuera. Esta protrusión se llama aneurisma. Por lo general, se presenta en una arteria cerebral o en la aorta abdominal (véase página 73). Si el aneurisma se fuga o estalla, puede originar sangrado interno que pone en riesgo la vida.

En las etapas iniciales, los aneurismas, por lo general, no producen ningún síntoma. En etapas más avanzadas, un aneurisma en una arteria cerebral puede producir dolor de cabeza intenso y persistente. Un aneurisma abdominal avanzado puede causar dolor constante en el abdomen o parte inferior de la espalda. Ocasionalmente, un coágulo sanguíneo que cubre la pared del aneurisma se rompe y se desplaza hasta obstruir una arteria alejada.

Enfermedad coronaria. Es la acumulación de placas en las arterias principales que nutren al corazón. Esta enfermedad es común entre las personas con presión arterial alta. Si el músculo cardiaco tiene una restricción de mucha sangre, se puede presentar un ataque cardiaco. Las complicaciones de la enfermedad coronaria son la principal causa de muerte en las personas con presión arterial alta no controlada.

El flujo sanguíneo reducido en las arterias coronarias amerita un viaje inmediato a la sala de urgencias y tratamiento con medicamentos o angioplastia, un procedimiento para abrir los vasos sanguíneos.

Hipertrofia ventricular izquierda. Cuando el corazón bombea sangre hacia la aorta, éste tiene que empujar la sangre hacia fuera y en contra de la presión originada dentro de las arterias. Mientras más alta sea la presión, el corazón tiene que trabajar más. Y al igual que cualquier músculo, mientras más duro trabaje el corazón, más crece.

Eventualmente, la pared muscular de la cámara principal de bombeo del corazón empieza a engrosarse (hipertrofia) por la excesiva carga de trabajo. El ventrículo izquierdo crecido necesita un mayor aporte de sangre. Debido a que la presión arterial alta produce que los vasos sanguíneos que alimentan al corazón se estrechen, a menudo hay un aporte insuficiente de sangre al corazón. Controlar la presión arterial alta puede prevenir esta hipertrofia.

Insuficiencia cardiaca. La insuficiencia cardiaca se presenta cuando el corazón no bombea de manera eficaz, y es incapaz de hacer circular suficiente sangre para cubrir las necesidades del cuerpo. Como resultado, se produce estancamiento y acumulación de líquido en los pulmones, las piernas y otros tejidos, una condición llamada edema. El líquido en los pulmones produce falta de aliento. La acumulación de líquido en las piernas produce hinchazón. Controlar la presión arterial alta puede ayudar a reducir el riesgo de insuficiencia cardiaca.

El cerebro

La presión arterial alta aumenta las probabilidades de tener un ataque vascular cerebral, también llamado ataque cerebral. Un ataque vascular cerebral es un tipo de lesión cerebral causada por bloqueo o rotura de los vasos sanguíneos que altera el aporte sanguíneo cerebral. Desprovistas de nutrientes, las células cerebrales se dañan o mueren.

En los resultados del *Framingham Heart Study*, 56 por ciento de los ataques vasculares cerebrales en varones y 66 por ciento en las mujeres fue atribuible a la presión

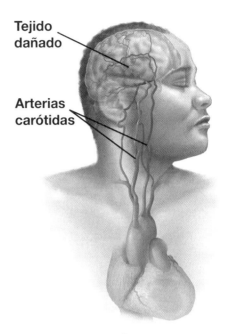

Tejido dañado

Arterias carótidas

Ataque vascular cerebral isquémico

Cuando el flujo sanguíneo en una arteria que va al cerebro se obstruye, las células nerviosas están desprovistas de oxígeno y nutrientes. El tejido cerebral rápidamente se puede dañar o morir.

arterial alta. La buena noticia es que en personas que se trataron la hipertensión, el riesgo de ataque vascular cerebral disminuyó 42 por ciento en cinco años.

Hay dos tipos básicos de ataque vascular cerebral, caracterizados por la alteración en el aporte sanguíneo y por su localización.

Ataque vascular cerebral isquémico. Los ataques isquémicos son el tipo más frecuente, y representan cerca de 80 por ciento de todos los ataques vasculares cerebrales. Los ataques isquémicos por lo general afectan el cerebro propiamente dicho, que controla el movimiento, el lenguaje y los sentidos.

Este tipo de ataque vascular cerebral puede ser resultado de un coágulo sanguíneo que se forma debido a un bloqueo por placas. Más de la mitad de los ataques vasculares cerebrales isquémicos son causados por coágulos estacionarios (trombóticos) que bloquean una arteria que llega al cerebro.

Un ataque vascular cerebral isquémico también se puede presentar cuando una pequeña pieza de sangre coagulada se desprende y se desliza a lo largo de grandes arterias hacia las más pequeñas en el cerebro. El coágulo en movimiento (embólico) puede alojarse y bloquear el flujo sanguíneo, lo cual da como resultado un ataque vascular cerebral.

Algunas veces, el aporte sanguíneo hacia el cerebro se altera brevemente —durante menos de 24 horas—. Esta presentación es conocida como un ataque isquémico transitorio (AIT), también llamado miniataque vascular cerebral. Un AIT es un signo de alarma de un posible ataque vascular cerebral.

Ataque vascular cerebral hemorrágico.
Un ataque vascular cerebral hemorrágico se produce cuando un vaso sanguíneo en el cerebro presenta una fuga o se rompe, por lo general

causado por un desarrollo como un aneurisma. La sangre proveniente de la hemorragia daña el tejido cerebral circundante. El tejido sobre un área más amplia se daña, debido a que tiene deficiencia de sangre. La presión arterial alta puede predisponer a un individuo a ataque vascular cerebral hemorrágico en las arterias más pequeñas.

La mejor detección y tratamiento de la presión arterial alta ha contribuido con una reducción considerable en el número de ataques vasculares cerebrales. Cuando se disminuye la presión arterial mediante tratamiento, el riesgo de ataque vascular cerebral disminuye notablemente —cerca de 40 por ciento durante un periodo de dos a cinco años—. Incluso si ya ha tenido un ataque vascular cerebral o un AIT, reducir la presión arterial puede evitar que estos problemas recurran.

Además, los medicamentos que deshacen los coágulos, administrados dentro de las primeras horas después de que empieza un ataque vascular cerebral isquémico, pueden reducir en gran medida la discapacidad debida al ataque vascular cerebral.

Demencia. Estudios sugieren que los vasos sanguíneos en el cerebro dañados por la hipertensión pueden producir demencia, un trastorno mental progresivo que a menudo incluye pérdida de la memoria, desorientación y cambio de personalidad. El riesgo de demencia aumenta de forma dramática en personas mayores de 70 años. Después de un diagnóstico de hipertensión, la demencia puede aparecer unos cuantos años más tarde, o hasta varias décadas después. Evidencia reciente sugiere que el tratamiento médico para controlar la presión arterial alta puede también reducir el riesgo de demencia.

Los riñones

Cuando la sangre circula a través de los riñones, los órganos filtran productos de desecho y regulan el equilibrio de minerales, ácidos y líquidos en la sangre. Cada riñón contiene más de un millón de nefronas, las cuales son pequeños sistemas de filtración que constan de vasos sanguíneos pequeños y tubos unidos a ellos. Los riñones ayudan a controlar la presión arterial al regular los niveles de sodio y agua. También producen químicos que controlan el tamaño de los vasos sanguíneos.

La presión arterial alta puede interferir con estas funciones. La aterosclerosis debida a hipertensión puede reducir el flujo sanguíneo a los riñones, evitando que eliminen suficientes desechos del torrente sanguíneo. El desecho se acumula y los riñones pueden dejar de funcionar, lo cual produce insuficiencia renal.

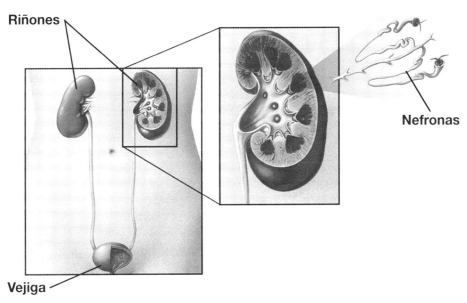

Riñones

Nefronas

Vejiga

Cómo funcionan los riñones

El desecho filtrado de la sangre por los riñones es depositado en la vejiga como orina. Cada riñón tiene más de un millón de nefronas que filtran el desecho de la sangre.

Si los riñones dejan de funcionar, necesitará someterse a diálisis renal, un proceso en el cual los productos de desecho en la sangre se filtran por una máquina, o puede necesitar un trasplante renal.

Los ojos

Ocasionalmente, un simple examen ocular lleva al diagnóstico de hipertensión debido a que los pequeños vasos sanguíneos de la retina a menudo son los primeros y más claros indicadores de presión arterial alta. Esta condición se llama retinopatía hipertensiva.

En las etapas iniciales, las pequeñas arterias retinianas se estrechan. Con el tiempo, las paredes arteriales se engrosan, comprimiendo a las venas adyacentes e interfiriendo con el flujo sanguíneo en las venas. Los vasos sanguíneos de la retina se pueden desgarrar o estallar, haciendo que se escape sangre y líquido hacia el tejido retiniano (véase la imagen de hemorragia retiniana en la página 72).

En los casos graves de hipertensión, el líquido también se puede fugar hacia el nervio óptico, lo cual produce hinchazón en el nervio (papiledema). La hemorragia grave en la retina y el nervio óptico produce pérdida de la visión. El control de la presión arterial alta puede casi siempre evitar estas complicaciones retinianas.

Recordatorio

Puntos clave a recordar:
- La presión arterial es necesaria para el flujo continuo de sangre que pulsa a través del corazón y los vasos sanguíneos.
- Presión arterial alta significa tener lecturas altas de manera persistente. Esto significa que, de forma consistente, la presión arterial sistólica es de 140 milímetros de mercurio (mm Hg) o más y la presión diastólica es de 90 mm Hg o más, o ambos casos.
- La presión arterial alta, por lo general, no produce ningún signo o síntoma.
- Si se deja sin tratamiento, la presión arterial alta puede producir ataque vascular cerebral, ataque cardiaco, insuficiencia cardiaca y renal, ceguera y demencia.
- Al controlar la presión arterial alta, se reduce de manera significativa el riesgo de discapacidad o muerte relacionado con la enfermedad.

Capítulo 2

¿Está usted en riesgo?

E s natural querer saber la causa de cualquier enfermedad. ¿Por qué se presenta una afección en algunas personas, pero no en otras? ¿Por qué se desarrolla en la mayoría de los adultos después de cierta edad, pero en algunas personas los síntomas aparecen 10 o 20 años antes? Desafortunadamente, se desconocen las razones por las cuales se presenta la hipertensión en la mayoría de las personas.

Sin embargo, también es claro que ciertos factores pueden predisponer a un mayor riesgo de hipertensión. Al saber cuáles son estos factores, se pueden dar pasos para minimizar el riesgo y posiblemente prevenir o retrasar la presentación de la enfermedad.

Para entender el riesgo, es importante comprender las dos formas de hipertensión —esencial y secundaria—. La hipertensión esencial, también conocida como hipertensión primaria, es la forma más común, y se estima que se presenta en 90 a 95 por ciento de las personas con presión arterial alta. La hipertensión esencial no tiene una causa obvia, pero ciertos rasgos genéticos y hábitos de estilo de vida juegan un papel importante en su desarrollo.

En 5 a 10 por ciento de todos los casos de presión arterial, se puede identificar una causa. Esto se llama hipertensión secundaria, debido a que la condición se debe —o es secundaria— a otro trastorno. A diferencia de la forma esencial, la hipertensión secundaria puede ser corregible. Cuando se trata la condición subyacente, la presión arterial puede disminuir o incluso regresar a lo normal.

Hipertensión esencial

En la mayoría de personas con hipertensión, es difícil señalar exactamente lo que está desencadenando el aumento en la presión. Esta condición es hipertensión esencial.

Los genes pueden jugar un papel importante en el desarrollo de presión arterial alta. Pero los investigadores están descubriendo una enfermedad compleja que, por lo general, no sigue las reglas clásicas de herencia genética. En lugar de originarse de un solo defecto genético, la condición parece ser un trastorno multifacético que, excepto en casos raros, incluye la interacción entre varios genes.

La hipertensión esencial es el resultado de una combinación de varios factores fisiológicos relacionados con:

- El movimiento (ampliación o estrechamiento) de los vasos sanguíneos.
- Aumento de líquido en la sangre.
- Funcionamiento de los sensores de flujo sanguíneo (barorreceptores).
- Producción de químicos que influyen en la función de los vasos sanguíneos.
- Secreción de hormonas que afectan al sistema cardiovascular.
- Volumen de sangre bombeada por el músculo cardiaco.
- Control nervioso del sistema cardiovascular.

Los factores de riesgo como el peso, consumo de sodio y actividad física también parecen interaccionar con los factores genéticos. Por lo general, mientras más factores de riesgo se tengan, mayores son las probabilidades de que se presente hipertensión a lo largo de la vida.

Factores de riesgo que no puede cambiar

Hay cuatro principales factores de riesgo para la hipertensión que no se pueden cambiar o controlar.

Raza. Los datos provenientes del *Third National Health and Nutrition Examination Survey* (NHANES III, actualizado en 2007) muestran que la hipertensión se presenta con mayor frecuencia en Estados Unidos entre las familias de raza negra que se han establecido en ese país por generaciones. (Todavía no hay suficiente evidencia acerca de las poblaciones de raza negra que recientemente han inmigrado desde África.)

La encuesta indica que, entre los estadounidenses mayores de 18 años, 39 por ciento de los de raza negra frente a 29 por ciento de los de raza blanca tiene presión arterial alta. Los índices más altos están entre los de raza negra que viven en el sureste de Estados

Unidos. La hipertensión en las personas de raza negra, por lo general, se desarrolla a una edad menor que en las personas de raza blanca. Además, usualmente es más grave y tiende a progresar más rápidamente en los de raza negra, llevando a índices más altos de muerte por complicaciones. De acuerdo con la *American Heart Association*, la hipertensión puede ser un factor en 50 por ciento de todas las muertes en varones de raza negra y 41 por ciento de las muertes en mujeres de raza negra con la enfermedad.

Edad. El riesgo de hipertensión aumenta con la edad. Aunque la hipertensión se puede presentar a cualquier edad, se detecta con más frecuencia en personas de 45 años o más. Como se presentó en el Capítulo 1, en EUA las personas que tienen presión arterial normal a los 55 años tienen 90 por ciento de riesgo a lo largo de su vida de desarrollar presión arterial alta.

Es muy común que cambios que afectan al corazón, los vasos sanguíneos y las hormonas se puedan presentar de manera natural con la edad. Estos cambios, junto con otros factores de riesgo pueden llevar al desarrollo de presión arterial alta.

Antecedente familiar. La presión arterial alta tiende a presentarse en familias. Si uno de los padres tiene hipertensión, existe la posibilidad de aproximadamente 25 por ciento de que el hijo la desarrolle durante su vida. Si tanto la madre como el padre tienen presión arterial alta, existe cerca de 60 por ciento de posibilidad de adquirirla.

El hecho de que exista hipertensión en su familia no quiere decir que usted esté destinado a tenerla. Incluso en familias en las cuales la hipertensión es frecuente, algunos miembros nunca desarrollan la enfermedad.

Sexo. En la población general de estadounidenses mayores de 20 años de edad, la prevalencia de presión arterial alta entre varones y mujeres es casi la misma. Sin embargo, entre los adultos jóvenes y de edad media, los varones son más susceptibles de tener presión arterial alta que las mujeres.

Después de los 55 años, cuando la mayoría de las mujeres pasaron la menopausia, sucede lo contrario. La presión arterial alta tiende a ser más común en mujeres que en varones.

Factores de riesgo que puede cambiar

También hay muchos factores de riesgo de presión arterial alta que puede cambiar y controlar.

Obesidad. Tener sobrepeso aumenta el riesgo de hipertensión por muchas razones. Mientras mayor sea la masa corporal, más sangre se necesitará para nutrir a las células. Aumentar el volumen de sangre circulante a través de las arterias requiere que el corazón bombee con mayor fuerza.

El exceso de peso puede aumentar la frecuencia cardiaca. También aumenta el nivel de insulina en la sangre, lo cual produce que el cuerpo retenga más sodio y agua.

Además, algunas personas que tienen sobrepeso siguen una dieta que tiene un alto contenido de grasa, en especial de grasa saturada y grasas trans. Estas grasas promueven la aterosclerosis, lo cual produce que las arterias se estrechen. Para la mayoría de las personas, una dieta contiene demasiada grasa si más de 30 por ciento de las calorías diarias provienen de la grasa.

Inactividad. La falta de actividad física eleva el riesgo de presión arterial alta al aumentar el riesgo de sobrepeso. Las personas que son inactivas también tienden a tener frecuencia cardiaca más alta, y su músculo cardiaco tiene que trabajar más con cada contracción. Mientras más fuerte y con más frecuencia tenga que bombear el corazón, mayor es la fuerza que se ejerce en las arterias.

Síndrome metabólico. Éste es un grupo de condiciones modificables que se presentan juntas —incluyendo presión arterial alta, glucosa en sangre elevada, exceso de peso corporal y niveles de colesterol anormales—. Estas condiciones lo hacen más susceptible de desarrollar diabetes, enfermedad cardiaca, y ataque vascular cerebral. El síndrome también se ha llamado síndrome de resistencia a la insulina o síndrome X.

Aunque se ha convertido en una principal amenaza para la salud en Estados Unidos, se da poca atención al síndrome metabólico. Es importante no pasar por alto los riesgos. Si tiene todos —o algunos— de los componentes del síndrome, dé los pasos para reducir los riesgos de enfermedades que ponen en riesgo la vida. Para más información acerca del síndrome metabólico, véanse las páginas 242-243.

El aumento de peso en Estados Unidos

La medida de la cintura en Estados Unidos continúa aumentando a un ritmo alarmante. Ahora se estima que 140 millones de adultos tienen ya sea sobrepeso u obesidad. Esto es más de los 97 millones en la década de 1990 y representa cerca de dos tercios de la población adulta. El sobrepeso se define como tener un índice de masa corporal (IMC) entre 25 y 29.9. La obesidad se define como tener un IMC mayor de 30.

De acuerdo con un reporte publicado el 5 de abril de 2006, del *Journal of the American Medical Association*, que compara los años entre 1999 y 2004, los índices de sobrepeso y obesidad aumentaron en ambos sexos y en todas las razas y grupos étnicos y de edad. El reporte indica que en 2003 y 2004, 66 por ciento de los adultos tenía sobrepeso y 32 por ciento era obeso. Estas cifras aumentaron casi dos puntos porcentuales desde 1999 a 2000.

Los adultos no son los únicos que tienen exceso de peso. De 1999 a 2004, la prevalencia de sobrepeso entre los niños de 12 a 19 años de edad aumentó más de dos puntos porcentuales a más de 17 por ciento. La prevalencia fue de 15 por ciento a casi 19 por ciento para niños de seis a 11 años, y de 10 por ciento a casi 14 por ciento para los de dos a cinco años.

Los problemas de peso aumentan con la edad. Las últimas cifras muestran que en 2004, 69 por ciento de las mujeres y 74 por ciento de los varones mayores de 60 años tenían sobrepeso u obesidad.

El exceso de peso es la principal causa (sólo superada por el tabaquismo) de muerte prevenible en Estados Unidos. En el año 2000, cerca de 400 000 muertes en Estados Unidos estuvieron asociadas con sobrepeso y obesidad. En comparación, 435 000 muertes al año estuvieron asociadas con el tabaquismo.

Consumo de tabaco. Los químicos del tabaco pueden dañar la cubierta de las paredes arteriales, haciéndolas más propensas a la formación de placas. La nicotina también hace que el corazón trabaje más por la constricción temporal de los vasos sanguíneos, lo cual aumenta la frecuencia cardiaca y la presión arterial. Estos efectos se presentan porque el consumo de tabaco desencadena la producción de hormonas, incluyendo niveles aumentados de epinefrina (adrenalina).

Además, el monóxido de carbono en el humo del cigarro reemplaza al oxígeno en la sangre. Esto puede aumentar la presión arterial al forzar al corazón a trabajar más para suministrar la cantidad adecuada de oxígeno a las células del cuerpo. Para detalles acerca de cómo dejar de fumar, véase el Paso 3 en este libro.

Sensibilidad al sodio. Las células del cuerpo necesitan cierta cantidad del mineral esencial sodio para permanecer sanas. Una fuente común de sodio es la sal de mesa (cloruro de sodio), la cual está compuesta de cerca de 40 por ciento de sodio y 50 por ciento de cloruro.

Algunas personas son más sensibles al sodio en el torrente sanguíneo que otras. Si usted es sensible al sodio, retendrá sodio con más facilidad, lo cual produce mayor retención de líquidos y presión arterial más alta.

Se estima que más de 60 por ciento de las personas con presión arterial alta es sensible al sodio. Entre las personas de raza negra, el porcentaje es incluso más alto. Sólo cerca de 15 a 25 por ciento de las personas sin presión arterial alta tiene sensibilidad al sodio. Conforme se envejece, la sensibilidad al sodio se torna más pronunciada.

Desafortunadamente, la sensibilidad al sodio es difícil de valorar. Recuerde que la mayor parte de la sal de la dieta se presenta como un ingrediente agregado a la comida; y ya que no hay una razón de salud para consumir exceso de sal, casi todos podemos beneficiarnos con la reducción de la ingesta de sal. Para

más información acerca de la ingesta de sodio, véase el Paso 1 en este libro.

Potasio bajo. El potasio es un mineral que ayuda a equilibrar la cantidad de sodio en las células del cuerpo. Se deshace del exceso de sodio por medio de los riñones, los cuales filtran el sodio que será excretado en la orina. Si la dieta no incluye suficiente potasio o el cuerpo es incapaz de retener una cantidad adecuada, se puede acumular demasiado sodio en las células, aumentando el riesgo de presión arterial alta. Para más información acerca del potasio, véase el Paso 1 en este libro.

Los niveles bajos de potasio también estimulan la liberación de aldosterona, una hormona que aumenta la retención de sodio y agua, elevando el riesgo de hipertensión.

Consumo de alcohol. Consumir tres o más copas de alcohol al día casi duplica el riesgo de presión arterial alta. No está totalmente claro cómo y por qué el alcohol aumenta la presión arterial. Pero se sabe que, con el tiempo, el consumo intenso de alcohol puede dañar al corazón y otros órganos.

El curso más seguro es tomar moderadamente o no hacerlo. Para la mayoría de los varones, beber con moderación significa no más de dos copas de alcohol al día. Para las mujeres, el límite es una bebida al día.

Nótese que éstas son recomendaciones generales para consumo de alcohol, y los lineamientos individuales podrían variar. Para más información acerca de alcohol e hipertensión, véase el Paso 3 en este libro.

Estrés. Los niveles altos de estrés pueden llevar a un aumento temporal de la presión arterial. Si los episodios de estrés se presentan con suficiente frecuencia, pueden dañar los vasos sanguíneos, el corazón y los riñones. Los resultados del estudio *Coronary Artery Risk Development in Young Adults* (CARDIA) mostraron que los participantes con niveles altos de hostilidad e impaciencia tuvieron un riesgo significativamente mayor de desarrollar presión arterial alta persistente.

El estrés también puede promover hábitos no saludables que se sabe que aumentan el riesgo de hipertensión. Por ejemplo, algunas personas empiezan a fumar, tomar alcohol o sobrealimentarse para aliviar el estrés.

Otras condiciones

Una condición crónica podría colocarlo en mayor riesgo de desarrollar presión arterial alta o hacer que su control sea más difícil. A continuación se describen muchas de estas condiciones.

Además, las mujeres, los niños, los adultos mayores y las personas en ciertos grupos étnicos podrían tener preocupaciones específicas para el control de la presión arterial. Para detalles, véase el Capítulo 5.

Colesterol alto. Los niveles altos de colesterol, una sustancia semejante a la grasa en la sangre, promueven la acumulación de placas en las arterias (aterosclerosis), haciendo que se estrechen y sean demasiado rígidas para distenderse. Estos cambios aumentan la presión arterial. Véase la página 240.

Diabetes. Demasiada glucosa en la sangre puede dañar muchos de los órganos y tejidos, lo cual produce aterosclerosis, enfermedad renal y enfermedad coronaria. Todas estas enfermedades afectan la presión arterial. Véanse las páginas 244-245.

Apnea del sueño. La apnea obstructiva del sueño es una forma grave de roncar que interrumpe la respiración durante el sueño. El sueño interrumpido también se puede deber a alteraciones en la función cerebral. Estudios han establecido una asociación entre la interrupción de la respiración y el inicio de la hipertensión. Para más información acerca de la apnea del sueño, véanse las páginas 245-246.

No siempre es evidente cuando se tiene apnea del sueño. Pero, si de manera consistente tiene problemas para tener un sueño reparador durante la noche y tiene dificultad para permanecer despierto durante el día, hable con el médico. Tener sobrepeso o ser obeso también contribuye con el riesgo de apnea del sueño.

El tratamiento puede incluir perder peso, dormir de lado en lugar de boca arriba, y usar un dispositivo de máscara que suavemente sopla aire a través de las vías aéreas con sólo suficiente presión para mantener el paso abierto.

Insuficiencia renal crónica. La insuficiencia renal es causa y consecuencia de la presión arterial alta crónica. La fuerza excesiva que se ejerce en los pequeños vasos sanguíneos dentro de los riñones puede causar cicatrización y una pérdida de función lenta y progresiva. Los riñones ya no serán capaces de filtrar desechos, lo cual da como resultado la acumulación de deshechos y líquido en la sangre. La insuficiencia renal crónica puede progresar a un punto en el cual la diálisis o el trasplante sean la única opción de tratamiento viable.

Insuficiencia cardiaca. Si el músculo cardiaco se daña o se debilita, posiblemente debido a un ataque cardiaco, debe trabajar más para bombear sangre. Si existe hipertensión no controlada, hay una demanda mucho mayor para el corazón que es débil. Con el tiempo, el músculo del corazón se podría engrosar para compensar el trabajo extra que debe realizar. Finalmente, el músculo cardiaco se puede tornar muy rígido o débil como para bombear sangre de manera eficiente. Insuficiencia cardiaca significa que el corazón es incapaz de bombear suficiente sangre para cubrir las necesidades del cuerpo.

Otros indicadores de riesgo cardiovascular aumentado incluyen cambios en la circulación sanguínea de la retina, un engrosamiento de la pared del ventrículo izquierdo (la principal cámara de bombeo del corazón), cambios en el nivel de creatinina (un producto de desecho excretado por los riñones) en la sangre, y la cantidad de proteína en la orina. El tratamiento de la hipertensión, a menudo, puede hacer más lenta o revertir la progresión de estos factores de riesgo.

Un efecto de multiplicación

Los factores de riesgo no se presentan de manera independiente uno del otro, y a menudo interaccionan entre sí. Por ejemplo, si tiene sobrepeso y es inactivo, las probabilidades de tener hipertensión son mucho más altas que si tiene sólo uno de estos factores.

De la misma manera, trabajar para reducir un factor podría tener beneficios para reducir los otros. La reducción total del riesgo podría ser más que la suma de ese solo factor.

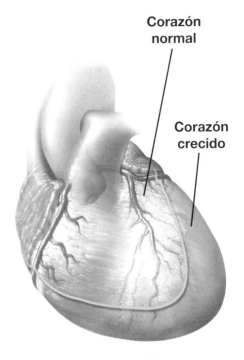

Corazón normal

Corazón crecido

Insuficiencia cardiaca

El corazón puede tratar de compensar la reducida habilidad de bombeo aumentando su tamaño.

Tenga en mente que: la palabra *riesgo* se refiere a las probabilidades o posibilidades —no a lo inevitable de que algo suceda—. Claramente, los factores de riesgo afectan las probabilidades de tener presión arterial alta, pero tener uno o más factores de riesgo no es una garantía de que pase. Por la misma causa, puede desarrollar presión arterial alta incluso si no tiene factores de riesgo. Lo principal es que, al reducir y controlar los factores de riesgo modificables, se reduce la probabilidad de adquirir la enfermedad.

Hipertensión secundaria

La sección anterior ha descrito la hipertensión esencial como una condición que puede ser el resultado de múltiples factores, aunque la identidad de cada factor y el papel que juega puede ser difícil de definir. Con la hipertensión secundaria, la condición es un resultado directo de otro trastorno.

La hipertensión secundaria, por lo general, tiene un inicio más rápido y lleva a la presión arterial a niveles más altos que la hipertensión esencial. Cuando la enfermedad o condición subyacente se corrige, generalmente la presión arterial disminuye. En algunas personas, los niveles de presión arterial pueden regresar a lo normal.

Principales causas

La hipertensión secundaria puede ser originada por varias condiciones. Éstas son algunas de las causas principales.

Problemas renales. Los riñones son importantes reguladores de la presión arterial, y varios problemas renales pueden ser responsables de un gran número de casos de hipertensión secundaria.

Las enfermedades renales como los riñones poliquísticos —un trastorno hereditario—, enfermedad renal diabética, nefritis y esclerodermia causan daño que puede llevar a insuficiencia renal. Cuando los riñones ya no pueden deshacerse del sodio, el agua y los productos de desecho que normalmente eliminan, la cicatrización y el estrechamiento de los vasos sanguíneos que resultan pueden elevar la presión arterial. Los riñones dañados también pueden liberar químicos que elevan la presión arterial (véanse las páginas 246-247).

Si se sospecha enfermedad renal, el médico realizará una exploración física. Las pruebas que detectan niveles elevados de productos de desecho en la sangre y el exceso de proteína en la orina pueden indicar mal funcionamiento renal. Las pruebas de imagen como el ultrasonido, tomografía computarizada (TC) o resonancia magnética (RM) pueden revelar quistes o cicatrices originadas por la enfermedad renal.

En algunos casos puede ser necesaria la cirugía para reducir el número y el tamaño de los quistes para ayudar a conservar el tejido renal funcional. En casos graves se puede requerir trasplante renal.

Obstrucción de la arteria renal. La arteria renal es el principal vaso que aporta sangre a cada riñón. A menudo, la obstrucción se debe a estrechamiento de la arteria por aterosclerosis. Cuando la obstrucción es grave, el riñón puede reducir su tamaño y cicatrizarse de manera irreversible.

La obstrucción también puede ser causada por una condición llamada displasia fibromuscular. En esta condición la capa media de la pared arterial (conocida como la media) se engrosa, estrechando la arteria. La arteria puede tener secciones estrechas alternando con secciones amplias, lo cual puede formar pequeños aneurismas. Uno o ambos riñones pueden estar afectados.

El estrechamiento de las arterias puede alterar la función renal y

llevar a la producción de una hormona que eleva la presión arterial. Si esta forma de presión arterial alta no responde al tratamiento médico o si la función renal está gravemente alterada, la obstrucción se puede abrir con catéteres y *stents* similares a los que se utilizan en el tratamiento del estrechamiento de las arterias coronarias.

Algunas veces, el estrechamiento de las arterias renales se puede diagnosticar con un estetoscopio —el flujo turbulento produce sonidos distintivos—. Las arterias estrechas y los cambios en los riñones también se pueden detectar por medio de imágenes que incluyen ultrasonido, angiografía, TC, RM y escaneo nuclear.

Feocromocitoma. Esta condición se presenta cuando se forma un tumor en la capa más interna de la glándula suprarrenal. Existen dos glándulas suprarrenales, una encima de cada uno de los riñones. Los tumores, los cuales se pueden presentar en otras partes del cuerpo y en múltiples localizaciones, secretan las hormonas epinefrina y norepinefrina, así como otros químicos.

El feocromocitoma casi siempre produce signos y síntomas notables. Si tiene uno de estos tumores, puede presentar episodios de dolor de cabeza intenso y súbito, palpitaciones cardiacas y sudación profusa, durante estos episodios se presenta palidez. Estos brotes

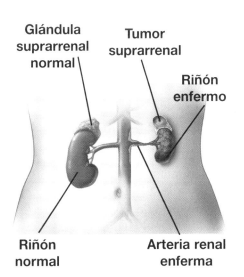

Glándula suprarrenal normal

Tumor suprarrenal

Riñón enfermo

Riñón normal

Arteria renal enferma

Problemas renales

Entre las causas comunes de hipertensión secundaria están la enfermedad renal, estrechamiento de la arteria renal y un tumor en la glándula suprarrenal (feocromocitoma).

pueden durar de minutos a una hora. Pueden recurrir a diario o con poca frecuencia. La presión arterial casi siempre está marcadamente elevada durante un episodio, y también puede estar alta entre los episodios.

Las pruebas diagnósticas incluyen pruebas de sangre y orina e imágenes con TC, RM o isótopos. Las pruebas genéticas también pueden ser útiles, debido a que esta condición puede presentarse en familias. El tumor rara vez es maligno y se puede eliminar con cirugía.

Coartación de la aorta. Esta condición incluye un estrechamiento de la arteria principal (aorta) proveniente del corazón. La coartación se presenta en la porción de la aorta localizada en el tórax y rara vez en el abdomen. Por lo general se detecta en el nacimiento, pero algunas veces una persona puede llegar a la edad adulta sin que se detecte la condición.

Una aorta estrecha da como resultado presión arterial alta en los brazos y presión baja en las piernas. Esto se puede detectar cuando un médico palpa la arteria en la ingle y en la muñeca simultáneamente. El pulso en la ingle estará ligeramente retrasado y menos fuerte que el pulso de la muñeca. Una radiografía de tórax e imágenes con ultrasonido o RM pueden establecer el diagnóstico.

La coartación se repara quirúrgicamente al eliminar la porción estrecha de la aorta, y luego volver a unir los extremos del vaso. En ciertos casos, por ejemplo si el estrechamiento se presenta después de la cirugía, se usa angioplastia para abrir la sección estrecha usando un balón en el extremo de un catéter (dilatación con balón). Si la angioplastia fracasa para expandir de manera permanente el área, se puede insertar un *stent* metálico a través del catéter para mantener el área abierta. Mientras que el éxito a largo plazo de estos *stents* todavía se desconoce, los resultados hasta ahora son alentadores.

Disfunción tiroidea. La glándula tiroidea regula el metabolismo, desde la velocidad con la que el corazón late hasta qué tan rápido el organismo quema calorías. Conforme la glándula produce la cantidad adecuada de la hormona tiroxina, el metabolismo funciona normalmente. Algunas veces la glándula produce demasiada o muy poca tiroxina, alterando el equilibrio de reacciones químicas en el cuerpo.

Hipertiroidismo. La sobreproducción de tiroxina puede elevar la presión arterial sistólica y la frecuencia cardiaca. Los signos y síntomas incluyen:
• Nerviosismo
• Pérdida de peso
• Transpiración excesiva

- Ojos prominentes (exoftalmos)
- Intolerancia al calor
- Palpitaciones
- Tiroides crecida o presencia de nódulos en la misma
- Temblor
- Fatiga

El hipertiroidismo se puede presentar en familias. El tratamiento, el cual puede restablecer la presión arterial normal, incluye medicamentos, yodo radiactivo y, rara vez, cirugía.

Hipotiroidismo. La baja producción de tiroxina también produce presión arterial alta —tanto sistólica como diastólica—. Los signos y síntomas incluyen:
- Intolerancia al frío
- Piel áspera
- Fatiga
- Voz baja y ronca
- Funciones corporales lentas
- Hinchazón de ojos, piernas y manos
- Aumento de peso

Esta condición se puede presentar después del tratamiento de una tiroides hiperactiva o inflamación de la glándula tiroides. El tratamiento con tiroxina, por lo general, restablece el cuerpo a la normalidad.

Síndrome de Cushing e hiperaldosteronismo. El síndrome de Cushing es el resultado de cantidades excesivas de la hormona cortisol en el cuerpo. El cortisol puede producirse por fuentes que incluyen las glándulas suprarrenales o por medicamentos como la prednisona. Los trastornos de la glándula suprarrenal se presentan en familias. El exceso de cortisol puede producir cambios fisiológicos o ayudar a producir enfermedades, incluyendo:
- Aumento de depósitos grasos en la cara, cuello y tronco
- Piel adelgazada, marcas púrpuras de estiramiento, moretones espontáneos y excesivo crecimiento de vello
- Inestabilidad emocional
- Aumento de peso
- Presión arterial alta
- Debilidad
- Diabetes
- Osteoporosis

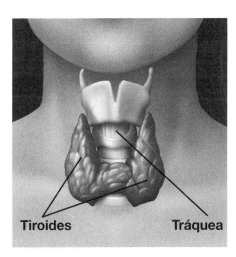

Tiroides   **Tráquea**

Glándula tiroides

La producción anormal de hormonas en la glándula tiroides, que tiene forma de mariposa, puede causar hipertiroidismo o hipotiroidismo.

El tratamiento está dirigido a reducir las cantidades excesivas de cortisol, y puede incluir la eliminación o el cambio de medicamentos y someterse a cirugía si el problema es de origen interno.

La secreción excesiva de aldosterona proveniente de la glándula suprarrenal (aldosteronismo) también puede causar presión arterial alta. La aldosterona hace que el cuerpo retenga sodio y agua y también puede dar como resultado pérdida de potasio por los riñones. Aunque no se presentará hinchazón generalizada de tejidos, esto puede contribuir con el engrosamiento del corazón y vasos sanguíneos.

Si existe aldosteronismo, la presión arterial alta puede ser resistente al tratamiento farmacológico ordinario. Un nivel bajo de potasio en la sangre también es una clave. Los pasos diagnósticos incluyen pruebas endocrinas, urinarias y genéticas, y TC o RM. El tratamiento puede incluir medicamentos para bloquear la acción de la aldosterona y cirugía para eliminar un tumor.

Preeclampsia. En algún momento después de la semana 20 del embarazo, cerca de 6 a 8 por ciento de las mujeres embarazadas desarrollan una condición llamada preeclampsia. Se caracteriza por un aumento importante de la presión arterial y exceso de proteína en la orina. Si se deja sin tratamiento puede llevar a complicaciones importantes, incluso mortales, para la madre y el niño. Ésta es la razón por la cual las revisiones de la presión arterial y de la orina se realizan de manera rutinaria, en particular después de la mitad del embarazo.

Después de que nace el bebé, la presión arterial, por lo general, regresa a lo normal dentro de varios días a varias semanas. La preeclampsia se puede presentar durante un embarazo subsecuente, o podría indicar el posible desarrollo de futura hipertensión sin embarazo. La preeclampsia también se discute en las páginas 231-233.

Uso de drogas ilícitas. Las drogas callejeras, como la cocaína y las anfetaminas, pueden llevar a hipertensión al estrechar ciertas arterias, aumentar la frecuencia cardiaca o dañar al músculo cardiaco.

Medicamentos. Varios tipos de medicamentos pueden aumentar la presión arterial en algunas personas. Los medicamentos de venta sin receta que pueden tener este efecto incluyen:
• Remedios para el resfriado
• Descongestionantes nasales, incluyendo aerosoles
• Supresores del apetito
• Antiinflamatorios no esteroideos (AINE) como ibuprofeno y naproxeno sódico

Los medicamentos de prescripción que pueden afectar la presión arterial incluyen:

- Esteroides (prednisolona, metilprednisolona)
- Antidepresivos (bupropión, desipramina, fenelzina, venlafaxina, otros)
- Inmunosupresores (ciclosporina, tacrolimus, otros)
- Inhibidores COX-2 (celecoxib)
- Otros (epoetina alfa, metilfenidato, sibutramina, yohimbina)

La mayoría de las pastillas para el control de la natalidad puede aumentar la presión arterial, pero el efecto puede ser menos pronunciado en tabletas que contienen niveles menores de estrógenos. La drospirenona, un componente de una tableta anticonceptiva, puede causar que el cuerpo retenga potasio e interferir con ciertos medicamentos para la hipertensión.

La sibutramina, un medicamento de prescripción que se utiliza para la obesidad, eleva la presión arterial significativamente en algunas personas.

Suplementos de herbolaria. Ciertos productos asociados con la medicina alternativa y complementaria pueden aumentar la presión arterial o interferir con la efectividad de los medicamentos para la hipertensión. Éstos incluyen la naranja amarga, ginseng, orozuz, y hierba de San Juan.

El suplemento efedra (ma-huang) contiene efedrina, un estimulante químico que se ha relacionado con la hipertensión así como con otros problemas importantes de salud. Los productos herbarios que contienen efedra se han comercializado en Estados Unidos para promover la pérdida de peso y aumentar la energía. En diciembre de 2003 la *Food and Drug Administration* de Estados Unidos prohibió la efedra en el mercado debido a preocupaciones de salud.

Siempre es importante informar al médico de todos los medicamentos que esté tomando —de prescripción, de venta sin receta y productos herbarios—. Esto es especialmente importante si está tomando medicamentos para la hipertensión.

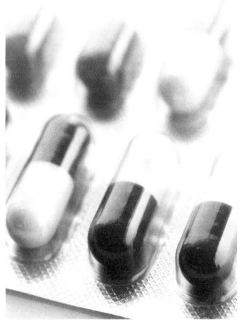

Cómo identificar la hipertensión secundaria

Similar a la hipertensión esencial, se puede ignorar que existe hipertensión secundaria hasta que el médico lo examina y lo confirma. Por lo general, con la forma secundaria, los síntomas asociados con la condición subyacente pueden ser los motivos que lo llevan al médico.

Si se descubre que tiene hipertensión, el médico querrá saber los detalles de la historia médica así como los antecedentes familiares. Probablemente buscará evidencia de ataque cardiaco, enfermedad cardiaca, endurecimiento de las arterias, cambios en el peso, dolor de piernas durante el ejercicio, debilidad y fatiga. El médico también revisará signos y síntomas de condiciones que pueden causar hipertensión secundaria.

Acción preventiva

A menudo, la hipertensión se puede prevenir. Se puede ayudar a disminuir la presión arterial y el riesgo de otras enfermedades cardiovasculares al eliminar o cambiar los factores de riesgo que se pueden controlar. Éstos incluyen:

- Pérdida de peso, si es que existe sobrepeso
- Comer una dieta saludable
- Realizar más actividad física
- Suspender el consumo de tabaco
- Limitar el alcohol

Una dieta saludable enfatiza una ingesta menor de grasa y sodio, más verduras, frutas y fibra, y una reducción de calorías. Planee ser físicamente activo durante 30 a 60 minutos la mayoría de los días de la semana.

Por muchos años, mientras la presión arterial estuviera por debajo del punto de corte para ser alta, se consideraba que estaba en un nivel aceptable. Esto ya no se aplica. Los médicos ahora saben que la prehipertensión a menudo evoluciona a hipertensión y aumenta el riesgo de enfermedad cardiovascular.

Prehipertensión se refiere a lecturas sistólicas persistentes entre 120 y 139 milímetros de mercurio (mm Hg), lecturas diastólicas entre 80 y 89 mm Hg, o ambas. Si la presión arterial está dentro de estos rangos, es particularmente importante tomar medidas preventivas.

Las personas con diabetes, enfermedad cardiaca o enfermedad renal deben intentar tener una presión arterial menor de 130/80 mm Hg. En casos más graves de enfermedad renal e insuficiencia cardiaca, se puede recomendar una meta menor de 120/80 mm Hg. Además de cambios en el estilo de vida para reducir la presión arterial, estos individuos a menudo requieren medicamentos.

Peso y presión arterial

Los cambios en el peso y la presión arterial van de la mano. Cuando aumenta el peso, la presión arterial también lo hace. Si existe sobrepeso, el riesgo de desarrollar hipertensión es dos a seis veces mayor que si el peso es normal.

De igual forma que la presión arterial se eleva cuando aumenta el peso, generalmente disminuye cuando se pierde peso. Reducir tan sólo 5 kg puede mejorar la presión arterial. Si existe sobrepeso, reducir 10 por ciento del peso es una buena meta a lograr. La pérdida de peso también puede mejorar los niveles de colesterol y reducir el riesgo de ataque cardiaco, ataque vascular cerebral, diabetes y artritis.

¿Cuál es la relación entre peso corporal y presión arterial? Conforme se agrega peso, se gana principalmente tejido graso, y este tejido depende de los nutrientes en la sangre para sobrevivir. Como la demanda de nutrientes aumenta, la cantidad de sangre circulante aumenta. Más sangre viajando por las arterias significa mayor presión en la pared arterial.

Otro motivo por el cual la presión arterial aumenta a menudo cuando hay sobrepeso es que el peso adicional, por lo general, aumenta el nivel de insulina. Más insulina está asociada con la retención de sodio y agua, lo cual aumenta el volumen de sangre. Además, el exceso de peso corporal puede aumentar la frecuencia cardiaca y reducir la capacidad de los vasos sanguíneos para transportar la sangre. Ambos factores pueden elevar la presión arterial.

Recientemente, varios químicos que se presentan de manera natural se han identificado como factores con influencia en el apetito, peso y presión arterial. Por ejemplo, la

hormona grelina ayuda a desencadenar la urgencia de comer y la hormona leptina juega un papel en la supresión de esta urgencia. Ambas hormonas están bajo estudio.

Lo que es aparente es que las interacciones entre estos químicos son excesivamente complejas, y parece no haber una relación directa entre los niveles de hormonas y el control de peso que se puede usar para regular la presión arterial.

No obstante, conforme la población ha aumentado de peso durante las últimas décadas, el control de peso se ha convertido en un reto principal en la prevención de la presión arterial.

Para encontrar su peso saludable
La pregunta es "¿Cómo saber cuál es el peso saludable que se supone debo tener?". Técnicamente, un peso saludable significa tener la cantidad adecuada de grasa corporal en relación con la masa corporal en general. Más que eso, un peso saludable reduce los riesgos de salud, da energía, ayuda a prevenir el envejecimiento prematuro y mejora la calidad de vida.

Los *National Institutes of Health* de Estados Unidos han adoptado un método que considera de tres aspectos para determinar un peso saludable. Este sistema está basado en los siguientes componentes clave:

- Índice de masa corporal
- Circunferencia de la cintura
- Historia médica

Las siguientes autoevaluaciones pueden ayudar a determinar si el peso es saludable o si podría haber un beneficio al perder unos cuantos kilos. Hacerlo puede ayudar a controlar la presión arterial y también reducir los riesgos de otros problemas de salud.

Índice de masa corporal. El índice de masa corporal (IMC) es una fórmula estándar que toma en cuenta el peso y la talla para determinar si existe un porcentaje de grasa corporal saludable o no saludable. Excepto en las personas muy musculosas como los atletas, esta medida se correlaciona bien con la grasa corporal total.

Para determinar el IMC, localice su talla en el cuadro de la página 57 y siga esa línea hasta que encuentre el peso más cercano al suyo. Busque el número en la parte superior de la columna para encontrar su IMC. Si su peso es menor del peso más cercano al suyo, su IMC puede ser ligeramente menor. Si su peso es mayor que el peso más cercano al suyo, su IMC puede ser ligeramente mayor.

Índice de masa corporal (IMC)

Puede determinar el índice de masa corporal (IMC) buscando su talla y su peso en esta tabla. Un IMC de 18.5 a 24.9 se considera el más saludable. Las personas con un IMC menor de 18.5 se consideran con bajo peso. Las personas con un IMC entre 25 y 29.9 se consideran con sobrepeso. Las personas con un IMC de 30 o más se consideran obesas.

	Saludable		Sobrepeso					Obeso				
IMC	19	24	25	26	27	28	29	30	35	40	45	50
Estatura (m)	Peso en kilogramos											
1.52	43.6	55.3	57.6	59.8	62.1	64.3	66.6	68.8	80.5	91.8	103.5	114.5
1.54	45	57.1	59.4	61.6	64.3	66.6	68.8	71.1	83.2	94.9	107.1	118.8
1.57	46.8	58.9	61.2	63.9	66.1	68.8	71.1	73.8	85.9	98.1	110.7	122.8
1.60	48.1	60.7	63.4	65.7	68.4	71.1	73.3	76	88.6	101.2	114.3	126.9
1.62	49.5	63	65.2	67.9	70.6	73.3	76	78.3	91.8	104.4	117.9	130.9
1.64	51.3	64.8	67.5	70.2	72.9	75.6	78.3	81	94.5	108	121.5	135
1.67	53.1	66.6	69.7	72.4	75.1	77.8	80.5	83.7	97.2	111.1	125.1	139
1.69	54.4	68.8	71.5	74.7	77.4	80.1	83.2	85.9	100.3	114.7	129.1	143.5
1.72	56.2	71.1	73.8	76.9	79.6	82.8	85.5	88.6	103.5	117.9	132.7	147.6
1.74	57.6	72.9	76.0	79.2	81.9	85	88.2	91.3	106.2	121.5	136.8	152.1
1.77	59.4	75.1	78.3	81.4	84.6	87.3	90.9	94	109.3	125.1	140.8	156.6
1.80	61.2	77.4	80.5	83.7	86.8	90	93.6	96.7	112.5	128.7	144.9	161.1
1.83	63	79.6	82.8	85.9	89.5	92.7	95.8	99.4	116.1	132.3	148.9	165.6
1.85	64.8	81.9	85	88.6	91.8	95.4	98.5	102.1	119.2	135.9	153	170
1.88	66.6	82.8	87.3	90.9	94.5	98.1	101.2	104.8	122.4	139.9	157.5	175
1.90	68.4	86.4	90	93.6	97.2	100.8	104.4	108	125.5	143.5	161.5	179.5
1.93	70.2	88.6	93	95.8	99.4	103.5	107.1	110.7	129.1	147.6	166	184.5

Nota: Los asiáticos con un IMC de 23 o más pueden tener mayor riesgo de problemas de salud.

Fuente: National Institutes of Health, 1998

Puede calcular su IMC exacto empleando esta fórmula:

$$\left(\frac{\text{Peso en kilogramos}}{(\text{ Estatura en metros }) \times (\text{ Estatura en metros })} \right) = \text{IMC}$$

Por ejemplo, si pesa 79.5 kg y mide 1.65 m, su IMC es 29.2.

$$\left(\frac{79.5}{(\text{ 1.65 m }) \times (\text{ 1.65 m })} \right) = 29.2$$

Un IMC de 18.5 a 24.9 se considera saludable. Un IMC de 25 a 29.9 significa sobrepeso, y un IMC de 30 o más indica obesidad. Está en mayor riesgo de desarrollar una enfermedad relacionada con el peso, como hipertensión, si el IMC es de 25 o más. Los asiáticos con IMC de 23 o más pueden tener un riesgo mayor de problemas de salud.

Circunferencia de la cintura. Esta medida —utilizada en combinación con el IMC— es también importante en la evaluación del peso saludable. Indica en dónde está localizada la mayor parte de la grasa.

La distribución de grasa se puede describir en términos de forma de manzana o forma de pera. Si se tiene la mayor parte de la grasa alrededor de la cintura o parte superior del cuerpo, se refiere como forma de manzana. Si se tiene la mayor parte de la grasa alrededor de la cadera y los muslos o en la parte inferior del cuerpo, se refiere como forma de pera.

Cuando se refiere a la salud, es mejor tener forma de pera que forma de manzana. Si se tiene forma de manzana, se tiene la grasa alrededor de los órganos abdominales, lo cual aumenta el riesgo de hipertensión, diabetes, niveles anormales de colesterol, síndrome metabólico, enfermedad coronaria, ataque vascular cerebral y ciertos tipos de cáncer. Si se tiene forma de pera, los riesgos de estas condiciones no son tan altos.

Para determinar si tiene demasiado peso alrededor del abdomen, mida la circunferencia de la cintura. Encuentre el punto más alto de cada uno de los huesos de su cadera y mida alrededor del abdomen justo por arriba de esos puntos. Una medida mayor de 102 cm (40 pulgadas) en los varones y de 88 cm (35 pulgadas) en las mujeres significa mayores riesgos de salud, en especial si el IMC es de 25 o más.

Para los asiáticos, el punto de corte es ligeramente menor. Los varones

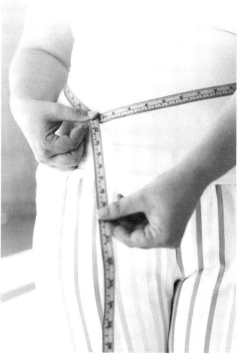

**Forma
de pera**   **Forma
de manzana**

Distribución de grasa en el cuerpo

asiáticos deben mantener su circunferencia de la cintura por debajo de 90 cm (36 pulgadas) y las mujeres asiáticas por debajo de 80 cm (32 pulgadas).

Aunque estos puntos de corte son guías útiles, no hay nada mágico en ellos. Es suficiente saber que mientras más grande sea la medida de la cintura, mayores son los riesgos de salud.

Historia médica. Los números solos no son suficiente. Una evaluación de la historia médica, así como de los antecedentes familiares, es importante para determinar si el peso es saludable.

Considere las siguientes preguntas:

- ¿Tiene una condición como hipertensión, diabetes tipo 2 o artritis que podría mejorar si perdiera peso?
- ¿Tiene antecedentes familiares de enfermedades relacionadas con el peso, como hipertensión, diabetes tipo 2, colesterol alto, triglicéridos altos o apnea del sueño?
- ¿Ha aumentado considerablemente de peso desde la preparatoria? Incluso las personas con IMC normal pueden estar en mayor riesgo de ciertas enfermedades si han aumentado más de 5 kg desde la adultez temprana.
- ¿Vive con estrés significativo, fuma, o consume más de dos bebidas alcohólicas al día si es varón o más de una copa al día si es mujer?

Podría pensar en el IMC y la medición de la cintura como fotografías instantáneas de su estado actual de salud. La historia médica ayuda a brindar un panorama más completo al revelar más acerca del riesgo de tener sobrepeso o desarrollar enfermedades relacionadas con el peso.

Sumar los resultados. Si su IMC indica que no tiene sobrepeso y no está cargando mucho peso alrededor del abdomen, es probable que no obtenga ventajas si cambia de peso. Puede considerar que su peso es saludable.

Claves para perder peso con éxito
A pesar de las estadísticas que pudiera haber escuchado acerca de cómo pocas personas son capaces de perder peso, muchas personas lo hacen con éxito. Usted puede ser una de ellas. Sólo porque la tarea parece desalentadora no significa que no deba intentarla. Con un poco de conocimiento, una actitud positiva y un buen plan, lo puede hacer.

Estos son lineamientos que pueden ayudar a perder peso de manera segura y a mantenerlo así permanentemente:

Comprométase. Perder peso requiere un compromiso de tiempo completo. No se lamente por lo que tiene que renunciar para perder peso. En lugar de ello concéntrese en lo que estará ganando, incluyendo una mejor salud y menor presión arterial.

Si su IMC está entre 25 y 29.9, se podría beneficiar al perder unos cuantos kilos, en particular si la circunferencia de la cintura excede los lineamientos saludables, o si contestó sí a por lo menos una de las preguntas de la historia médica. Discuta las opciones con el médico en su siguiente revisión.

Si su IMC es de 30 o más, perder peso probablemente mejorará su salud y reducirá su riesgo de desarrollar enfermedades relacionadas con el peso.

Elija el momento correcto. El momento es crítico. Si está distraído o está pasando por una fase difícil en su vida, podría ser menos capaz de cumplir sus propósitos. Podría ser sensato posponer —pero no cancelar— la pérdida de peso hasta que resuelva estos problemas.

Establezca metas realistas. La pérdida de peso saludable es lenta y constante. Consiste en perder no más de 500 g a 1 kg a la semana.

Aprenda nuevas conductas. Es muy probable que haya aprendido muchos hábitos alimenticios en respuesta a distintos factores y no a un estómago vacío —los factores sociales y emocionales a menudo entran en juego—. Las buenas noticias son que estas conductas aprendidas también se pueden olvidar con el tiempo.

Pero desechar una conducta o adoptar una nueva puede tardar de tres a 30 intentos antes de tener éxito. No hay una fórmula mágica que todos puedan seguir. Necesitará descubrir lo que es más efectivo para usted.

Cambie gradualmente. La primera regla del cambio es no cambiar muy rápido —esto no es una carrera—. Está tratando de desarrollar un nuevo estilo de vida total. Esto no pasa de la noche a la mañana.

No se exceda. Las dietas con una cantidad extremadamente baja de calorías y las combinaciones especiales de comida no son la respuesta para un control de peso duradero. Comer menos de 1 200 calorías hace que sea difícil para su cuerpo tomar las cantidades adecuadas de nutrientes. También promueve la pérdida temporal de líquidos y músculo saludable en lugar de una pérdida permanente de grasa.

Actívese y permanezca así. La dieta por sí sola ayudará a perder

peso, pero la actividad física es el factor más importante relacionado con la pérdida de peso duradera. El ejercicio promueve la pérdida de grasa corporal y el desarrollo de músculo, lo cual facilita que se mantenga la pérdida de peso.

Mantenga el progreso. No deje que pequeños retrocesos debiliten su decisión de perder peso. Habrá días en los que coma más de lo que había planeado o que se mueva menos de los que se había propuesto. Es inevitable que recaiga ocasionalmente. Es importante no usar una recaída como excusa para rendirse. Cuando esto pase, vuelva a pensar qué puede hacer para volver a integrar la conducta saludable en su rutina diaria y adherirse a su plan.

¿Por qué actuar ahora?

Podría preguntarse por qué es tan importante tomar medidas para prevenir la hipertensión. ¿Por qué no simplemente esperar a que se desarrolle la condición y después tratar, en lo posible, con una dieta mejor y un poco más de actividad?

De hecho, hay muchas razones por las cuales es mejor actuar hoy en lugar de esperar. Por lo general, mientras más joven sea cuando intente cambiar su estilo de vida, mayores son las probabilidades de tener éxito. Mientras más tiempo pueda mantener un peso saludable, menor es el riesgo de enfermedades relacionadas con el peso.

Incluso con el tratamiento exitoso de la hipertensión, los cambios en el corazón y las arterias podrían no revertirse por completo a lo normal. Es mejor prevenir el daño a que pase alguna vez.

Recordatorio

Puntos clave a recordar:

- Hay dos formas de hipertensión: esencial y secundaria. La causa de la hipertensión esencial se desconoce. La hipertensión secundaria es resultado de una condición o enfermedad subyacente.

- Ciertos factores genéticos o de estilo de vida lo colocan a usted en un mayor riesgo de desarrollar hipertensión. Por lo general, mientras más de estos factores estén presentes, mayor es el riesgo.

- Puede ser posible prevenir la hipertensión al eliminar o reducir ciertos factores de riesgo que se pueden cambiar.

- Si existe prehipertensión, reducir la presión arterial a un nivel normal puede ayudar a evitar el desarrollo de hipertensión y enfermedad cardiovascular así como otras enfermedades.

Capítulo 3

Diagnóstico de la hipertensión

A diferencia de muchas otras condiciones crónicas de salud, la hipertensión rara vez produce signos y síntomas para advertirle que algo está mal. La mayoría de las personas que tienen hipertensión, incluso cuando la condición ha estado presente por largo tiempo y no ha sido controlada, se verá y sentirá bien.

Es durante la exploración médica de rutina que la mayoría de las personas se enteran de que su presión arterial está muy alta. Éste es el motivo por el cual es importante tener revisiones periódicas de la presión arterial por lo menos cada dos años. De otra forma, los órganos vitales como el corazón y los riñones se pueden dañar sin que esté consciente de ello.

Por fortuna, diagnosticar la hipertensión es un proceso relativamente sencillo. Por lo general, incluye varias mediciones tomadas en las visitas al médico durante un periodo de varias semanas o meses. Este proceso confirma si una lectura inicial alta fue simplemente una fluctuación temporal que regresa a lo normal, o representa lo que se ha convertido en un nivel usual.

Como parte del proceso diagnóstico, el médico probablemente hará preguntas acerca de la salud personal y familiar, hará una exploración física y pedirá algunas pruebas de rutina. Estos pasos se toman para determinar si algún órgano se ha dañado por los niveles altos de presión arterial. También podrían prevenir que se desarrollen problemas de salud adicionales. Los resultados de la exploración y las pruebas de laboratorio también son importantes en la decisión de cómo tratar de una mejor manera la afección. (Véase "Preguntas clave para responder" en la página 69.)

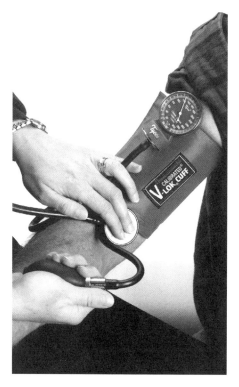

Esfigmomanómetro

Durante una lectura de la presión arterial, el médico o enfermera escucha los sonidos que indican las presiones sistólica y diastólica.

Dos métodos para reducir y controlar la hipertensión son los cambios en el estilo de vida y los

medicamentos. El hecho de que se necesiten medicamentos dependerá de la presión arterial, el riesgo de otros problemas de salud y si se ha presentado algún daño orgánico.

Cómo tomar una lectura de la presión arterial

Medir la presión arterial es un procedimiento sencillo que puede aprender. Ésta es la forma en la que se toma la lectura:

Un esfigmomanómetro es el dispositivo que mide la presión arterial. Puede ser que esté familiarizado con él por las consultas médicas de rutina. El dispositivo incluye un brazalete inflable con una bomba de aire y una columna de mercurio o un medidor de presión estandarizado.

Para una medición de la presión arterial, se coloca el brazalete alrededor del brazo. Luego se bombea aire dentro del brazalete apretando el bulbo en la bomba de aire. El brazalete se infla hasta que la presión dentro de él alcanza un nivel alto —muy por arriba de la presión que se requiere para empujar la sangre a través de los vasos sanguíneos—. Esto hace que

Lecturas falsas

Algunas veces, las mediciones de la presión arterial pueden producir lecturas falsas que son demasiado altas. Esto sucede con más frecuencia entre los adultos mayores con arterias dañadas que se han endurecido demasiado —y esto es diferente de lo que se conoce como hipertensión de bata blanca (véase la página 68)—. Aunque muchas personas con arterias rígidas tienen presión arterial alta, podría no ser tan alta como lo indican las mediciones.

Las lecturas falsas se presentan porque las arterias rígidas son difíciles de colapsar. Cuando se toma una medición de la presión arterial, el brazalete puede no colapsar la arteria braquial hasta que se infla a una presión extremadamente alta. Y cuando la presión del brazalete se libera, la rigidez hace que la arteria se abra más rápido de lo que debería normalmente, lo cual da una lectura incorrecta.

El médico puede decir si existe esta condición llamada seudohipertensión, al tocar el antebrazo. Normalmente, cuando un brazalete colapsa la arteria braquial, el médico es incapaz de sentir las arterias en el antebrazo por debajo del brazalete.

No obstante, las arterias rígidas en el antebrazo permanecen abiertas y se pueden palpar incluso cuando no está pasando sangre a través de ellas. Las personas con esta condición pueden encontrar que los dispositivos electrónicos tampoco dan lecturas correctas.

Para obtener una lectura correcta en casos de seudohipertensión, se podría necesitar medir la presión dentro de las arterias insertando una aguja dentro de la arteria braquial o dentro de la arteria radial en el antebrazo.

la arteria principal en el brazo (arteria braquial) se colapse, cortando el flujo sanguíneo hacia el resto del brazo. Cuando la arteria se colapsa, no se escuchan sonidos a través del estetoscopio que está colocado sobre la arteria, justo por debajo del brazalete.

Después el aire del brazalete se libera lentamente, con lo cual se reduce de manera gradual la presión ejercida sobre la arteria colapsada. Conforme la presión del brazalete se iguala con la presión sistólica, la sangre empieza a fluir por la arteria otra vez. Esto origina los sonidos de golpeteo que se pueden escuchar a través del estetoscopio.

El número en la columna de mercurio o en el medidor de presión en el momento en el que un médico, enfermera o técnico escuchan el retorno del flujo sanguíneo al brazo indica la presión sistólica (escrita como el número superior).

Conforme el aire sigue liberándose del brazalete, la presión de la arteria braquial sigue disminuyendo. Cuando la arteria está completamente abierta otra vez, los sonidos de golpeteo se hacen inaudibles. La lectura en la columna de mercurio o en el medidor de presión en el momento en que los sonidos desaparecen indica la presión diastólica (escrita como el número inferior).

Los esfigmomanómetros electrónicos incluyen un monitor completamente automático. Las unidades electrónicas inflan y desinflan el brazalete, detectan las presiones sistólica y diastólica al sentir las vibraciones en la arteria, y después presentan las mediciones en una pantalla digital.

Para producir lecturas correctas, la parte inflable del brazalete necesita cubrir por lo menos tres cuartos de la parte superior del brazo. Si va a medir su presión arterial, vea el Capítulo 4 para instrucciones y consejos sobre dispositivos. También pida ayuda al médico.

Para asegurarse

Una lectura de presión arterial de 140/90 milímetros de mercurio (mm Hg) se considera alta. Pero una sola lectura de 140/90 mm Hg o mayor no es suficiente para un diagnóstico de hipertensión. La presión arterial varía a lo largo del día, y es mejor obtener múltiples lecturas bajo circunstancias que sean similares. Sólo si la lectura es extremadamente alta —una presión sistólica de 180 mm Hg o mayor, o una presión diastólica de 110 mm Hg o más— se hace un diagnóstico con base en una sola medición.

Por lo general, un diagnóstico de hipertensión se hace después de por lo menos dos consultas al médico. La presión arterial se mide dos o más veces en cada consulta, para un total de por lo menos cuatro mediciones. Si el promedio de cuatro mediciones muestra que la presión es de 140/90 mm Hg o más, esto significa hipertensión.

Si usted es mayor de 65 años, el médico podría requerir incluso más mediciones debido a que, conforme se envejece, hay muchos más motivos por los cuales las lecturas podrían variar, incluyendo arterias rígidas (véase la página 65).

Para asegurarse de la exactitud de la lectura, no se debe fumar, comer un alimento copioso o tomar cafeína o alcohol por lo menos 30 minutos antes de tomar la presión arterial. Además, debe asegurarse de que la vejiga está vacía. Todos estos factores pueden aumentar temporalmente la presión arterial.

También se debe dar tiempo suficiente para llegar a su cita. Ir con prisa puede causar estrés, el cual puede aumentar de manera temporal la presión arterial. Antes de que le tomen la presión, siéntese tranquilamente durante dos a cinco minutos con la espalda recargada y ambos pies sobre el piso.

Cuando se mide la presión arterial no se habla. Hablar puede elevar la presión arterial así como dificultar

¿Por qué se necesita regresar para más mediciones de la presión arterial después de la primera consulta?

Digamos que en un examen médico de rutina, la lectura de la presión arterial estuvo por arriba de 140/90 mm Hg. A menos que la presión arterial estuviera extremadamente alta (180/110 mm Hg o más), necesitará regresar para revisiones adicionales. Esto se debe a que muchos factores pueden afectar la presión arterial, y las mediciones varían ampliamente a lo largo del día y de un día a otro. Por lo menos se toman dos mediciones en cada consulta subsecuente, por lo general bajo circunstancias idénticas. Una medición confiable de la presión arterial regular es el promedio de estas mediciones en todas las consultas.

Hipertensión de bata blanca e hipertensión oculta

Algunas personas se ponen ansiosas siempre que les toman la presión en el consultorio. Pueden tener la presión arterial normal en otros momentos y en otros lugares, pero en cuanto se les toma en una instalación médica, siempre va a estar alta. Esta condición, llamada hipertensión de bata blanca, se presenta en alrededor de 10 a 30 por ciento de las personas con hipertensión.

Para otras personas sucede lo contrario. Las mediciones de la presión arterial son consistentemente más altas cuando están en casa o en el trabajo que cuando van al consultorio del médico. Esta condición se llama hipertensión oculta. Se puede presentar por muchas razones. Por ejemplo, el ambiente silencioso y tranquilo del consultorio del médico puede ser menos estresante que los otros ambientes en los que viven.

Si el médico sospecha que la suya es hipertensión de bata blanca, podría necesitar un seguimiento de la presión arterial lejos del consultorio del médico. Para la hipertensión de bata blanca y para la oculta, el médico podría recomendarle usar un dispositivo portátil (monitor ambulatorio) que mide la presión arterial periódicamente durante 24 horas mientras hace sus actividades regulares. Para cualquiera de estas condiciones, este método le da una valoración más realista y exacta de la presión arterial.

Las máquinas automáticas que miden la presión arterial y se encuentran en tiendas y centros comerciales no se recomiendan para este propósito. Estas máquinas no son lo suficientemente precisas, y a menudo están equipadas con brazaletes que no se ajustan adecuadamente. Además los lugares en donde están localizadas estas máquinas —lo cual puede tener un importante impacto en las lecturas de la presión arterial— no están controlados, y, de hecho, pueden ser caóticos.

La creencia médica convencional ha sido que estas formas de hipertensión son fenómenos que no son dañinos y no requieren tratamiento. De hecho, muchas personas con estas condiciones desarrollarán hipertensión real con el tiempo. Un reciente estudio sugiere que la hipertensión oculta coloca en un riesgo más alto de ataque vascular cerebral y muerte por enfermedad cardiovascular. Ambas condiciones se deben vigilar cuidadosamente y tratarse. El médico podría recomendar ajustes en el estilo de vida y medicamentos para la presión arterial.

que la persona que mide la presión escuche el sonido del latido cardiaco. Algunos consultorios ahora tienen un dispositivo automático que toma lecturas en intervalos de minutos mientras el paciente está solo, tranquilo y sentado adecuadamente.

Preguntas clave para responder

Entre el momento en el que se entera que quizá pueda tener hipertensión y el momento del diagnóstico definitivo, el médico podría querer realizar una historia clínica, un examen físico completo y hacerle que se someta a varias pruebas de laboratorio.

Estos tres componentes pueden brindar respuestas a preguntas diagnósticas importantes, como:
- ¿La hipertensión ha dañado algún órgano?
- ¿La hipertensión es esencial (primaria) o secundaria? Aunque la hipertensión secundaria es poco común, es importante que en cada persona con hipertensión se consideren causas subyacentes. Algunas de estas condiciones son tratables, lo cual permite reducir la presión arterial.

- ¿Tiene otros factores de riesgo que aumentan las probabilidades de tener un ataque cardiaco o ataque vascular cerebral, como tabaquismo, demasiado peso, un estilo de vida inactivo, colesterol alto o diabetes?

Si no está claro si tiene hipertensión o prehipertensión, estas evaluaciones pueden ayudar a confirmar el diagnóstico y guiar las decisiones de tratamiento para la enfermedad.

Antecedentes médicos

La historia médica puede apuntar a un factor o evento particular que ha desencadenado el aumento de la presión arterial. Esta historia también puede ayudar al médico a valorar el riesgo de otras condiciones de salud. Durante una evaluación, le podrían hacer preguntas acerca de:
- Lecturas anteriores de la presión arterial.
- Historia personal de enfermedad cardiaca, enfermedad renal, colesterol alto, diabetes y apnea del sueño (por ejemplo, roncar, sueño sin descanso o somnolencia durante el día).
- Antecedentes familiares de presión arterial alta, ataque cardiaco, ataque vascular

Medición de día y de noche

La hipertensión puede, algunas veces, ser difícil de diagnosticar. Si el médico no está seguro de que el paciente tiene o no hipertensión y, si la tiene, qué tan grave es, se podría necesitar utilizar un dispositivo especial llamado monitor ambulatorio.

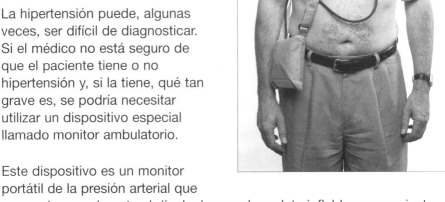

Este dispositivo es un monitor portátil de la presión arterial que se puede usar durante el día. Incluye un brazalete inflable que se ajusta alrededor del brazo y una unidad de monitorización pequeña que cuelga a nivel de la cintura usando un tirante sobre el hombro. Una pequeña sonda que conecta el monitor al brazalete se puede asegurar a la piel con cinta para evitar que se tuerza o se desconecte.

El monitor se programa para tomar la presión arterial cada 10 a 30 minutos durante un periodo de 6 a 24 horas. El dispositivo es completamente automático. En momentos seleccionados, infla el brazalete, lo desinfla, toma la lectura y almacena la información en la memoria.

Usted podría ser un candidato para monitorización ambulatoria si tiene hipertensión de bata blanca —las lecturas de presión arterial son más altas de lo normal sólo en las revisiones médicas— o hipertensión oculta —muestra complicaciones de hipertensión, pero tiene lecturas de presión arterial normales en las revisiones médicas—. La monitorización ambulatoria también puede ser útil si la presión arterial fluctúa ampliamente o si no está respondiendo al tratamiento con medicamentos antihipertensivos.

Mientras se usa el monitor, se lleva un diario con las actividades del día y el momento en que se hacen, el momento en el que se toman los medicamentos, y cualquier periodo de estrés, emociones fuertes o dolor. Al comparar las notas del diario con las lecturas de la presión arterial tomadas del monitor ambulatorio, el médico puede notar ciertos eventos o factores de la vida diaria que estén relacionados con cambios en la presión arterial.

cerebral, enfermedad renal, diabetes, colesterol alto o muerte prematura.

- Signos y síntomas que podrían sugerir hipertensión secundaria, como periodos de rubor, frecuencia cardiaca rápida, intolerancia al calor o pérdida de peso inexplicable.

También le pueden hacer preguntas acerca de sus conductas y hábitos relacionados con:

- Consumo de alcohol.
- Dieta y uso de sal (sodio).
- Tabaquismo.
- Medicamentos que esté tomando en la actualidad y uso previo de medicamentos para la presión arterial.
- Cambios en el peso.
- Nivel de actividad.

Informe al médico acerca de todos los medicamentos que toma —tanto de prescripción como de venta sin receta—, así como drogas ilícitas y suplementos nutricionales y de herbolaria. Advierta de cualquier medicamento al cual haya tenido una reacción adversa o intolerancia.

Haga una lista de estos medicamentos, incluyendo los nombres y las dosis. Si no tiene una lista, lleve los frascos originales a su próxima consulta con el médico. Para más información acerca de los medicamentos, véase el Paso 5 en este libro.

Varios medicamentos de prescripción y de venta sin receta pueden aumentar la presión arterial, así como las drogas callejeras como la cocaína. Debido a que los efectos en la salud de muchos suplementos no se han estudiado por completo, es importante comunicar al médico si está tomando uno de estos productos, en caso de que éste afecte la presión arterial.

Mantener informado al médico acerca de todos los medicamentos que toma también puede prevenir interacciones medicamentosas peligrosas. Algunos medicamentos para la presión arterial no reaccionan bien con otros fármacos.

Tenga en mente que la presión arterial se eleva y disminuye de manera normal durante un periodo de 24 horas. La dieta, las actividades, las emociones y otros factores también afectan la presión arterial. Estas variaciones se deben tomar en cuenta conforme el médico y usted consideran el uso de medicamentos.

Exploración física

El médico examinará el cuerpo en busca de signos de daño orgánico. También revisará en busca de anormalidades que señalan una

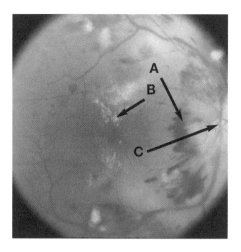
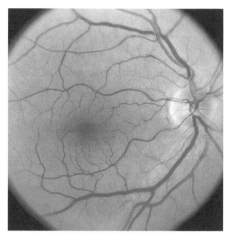

Daño a la retina

A la izquierda, los vasos sanguíneos en la retina se pueden romper debido a la hipertensión, lo cual produce sangrado (hemorragia, véase A) y formación de depósitos de desechos (exudados, véase B). El edema debido a combinación de fuga e inflamación puede afectar al nervio óptico (papiledema, véase C). La imagen de una retina normal se muestra a la derecha.

posible causa del aumento de la presión arterial.

Las condiciones físicas que el médico puede considerar cuando busca signos de daño orgánico incluyen:

Estrechamiento o fuga de vasos sanguíneos en los ojos. El daño a los vasos sanguíneos en los ojos es un fuerte indicador de que los vasos sanguíneos en cualquier lugar del cuerpo se han dañado por la hipertensión. Esto también puede indicar un mayor riesgo de enfermedad cardiovascular.

Anormalidades cardiacas. Una frecuencia cardiaca acelerada, un corazón agrandado, un ritmo anormal del latido cardiaco, o un chasquido o soplo en los sonidos del corazón pueden señalar una posible enfermedad cardiaca.

Flujo sanguíneo turbulento. Cuando un vaso sanguíneo se estrecha puede originar flujo sanguíneo turbulento. El flujo turbulento, llamado soplo, se presenta con más frecuencia en las arterias carótidas del cuello y en las arterias principales del abdomen.

Disminución de la presión arterial cuando se está de pie. Un efecto colateral de algunos medicamentos antihipertensivos es el desmayo o el mareo cuando se está de pie (hipotensión postural). Tales mareos también son una complicación de la diabetes. Este problema es común en adultos mayores en particular después de las comidas, tengan o no diabetes. Para más información, véase "Cuando la presión arterial baja demasiado" en la página 30.

Aneurisma aórtico. Un aneurisma se puede formar en un punto debilitado en la pared de la aorta. Se puede sentir un abultamiento durante una exploración del abdomen. Un estetoscopio también puede captar el sonido de la sangre pulsando a través del vaso sanguíneo debilitado.

Pulso débil. Un pulso débil en la ingle, parte inferior de las piernas y tobillos puede señalar daño arterial.

Reducción de la presión arterial en los tobillos. Esto puede ser resultado de vasos sanguíneos estrechos o enfermos en las piernas.

Hinchazón. La acumulación de líquidos en la parte inferior de las piernas y tobillos es un signo común de enfermedad renal o cardiaca.

Agrandamiento de los riñones o de la glándula tiroides. Si cualquiera de estos órganos aumenta de tamaño, esto puede indicar que existe hipertensión secundaria, resultado de otra condición.

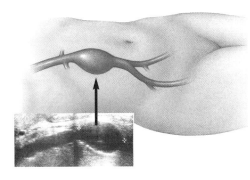

Aneurisma aórtico

Un aneurisma aórtico es una sección abultada en la pared de la aorta (véase la flecha) que se puede romper o puede ser el lugar donde se forma un coágulo de sangre. Los aneurismas se pueden detectar con una imagen de ultrasonido (véase el recuadro).

Pruebas de rutina

Las siguientes pruebas se incluyen con frecuencia en una evaluación de rutina para la hipertensión.

Peso. Tener sobrepeso o ser obeso juega un papel importante en la elevación de la presión arterial. El peso se toma como parte de una consulta médica general.

El médico puede calcular el índice de masa corporal (IMC) para determinar si existe un porcentaje de grasa corporal no saludable (véanse las páginas 56-58). Además, el médico puede también medir la cintura para determinar si existe demasiado peso alrededor del abdomen (véanse las páginas 58-59).

Análisis general de orina. La presencia de proteína o glóbulos rojos en la orina puede indicar daño renal. Una forma de proteína en la orina, llamada microalbuminuria también puede señalar enfermedad renal en fase inicial —un factor de riesgo para enfermedad cardiovascular futura—. Además, se puede hacer una prueba en orina para detectar la presencia de azúcar (glucosa), consecuencia de diabetes. La diabetes puede hacer que la hipertensión sea más difícil de controlar.

Química sanguínea. Los niveles de sodio y potasio se miden en la sangre. También se puede hacer prueba en sangre para valorar los niveles del compuesto creatinina, lo cual puede indicar daño a los riñones.

Otras pruebas sanguíneas comunes incluyen mediciones de grasas sanguíneas que contienen colesterol (perfil de lípidos). Mientras más alto sea el nivel de colesterol total en sangre y menor sea el nivel de colesterol de lipoproteína de alta densidad (coloesterol HDL o "bueno"), mayor es el riesgo de enfermedad cardiovascular y síndrome metabólico. El nivel

de glucosa (azúcar) en la sangre también se puede medir en busca de diabetes.

Biometría hemática completa. Esta prueba revela cuentas anormales de células blancas y rojas. Su propósito es confirmar que no existan ciertas condiciones de salud que se desconozcan, como una cuenta baja de células rojas, llamada anemia.

Electrocardiografía. La actividad eléctrica del corazón es monitorizada en busca de anormalidades del ritmo o indicaciones de daño, incluyendo un corazón agrandado o aporte sanguíneo inadecuado.

Los cambios en la actividad eléctrica del corazón se registran en un electrocardiograma (ECG), el cual también puede indicar niveles altos o bajos de potasio.

Pruebas adicionales

Si la exploración física y hallazgos de laboratorio son normales, probablemente no se tengan que realizar pruebas adicionales. Sin embargo, pueden ser necesarias más pruebas si existe:
- Inicio súbito de hipertensión o un aumento intenso en la presión arterial normal.
- Presión arterial muy alta (180 o más/110 o más mm Hg).
- Nivel bajo de potasio.

- Sonido de flujo sanguíneo turbulento (soplo) que se escucha en una arteria.
- Evidencia de problemas renales.
- Evidencia de problemas cardiacos.
- Indicaciones de un aneurisma aórtico abdominal.

Si existen arterias estrechas que están interrumpiendo el flujo sanguíneo, las pruebas de imagen pueden identificar la localización y gravedad del problema:

Angiografía. Este procedimiento inyecta un colorante dentro de los vasos sanguíneos del cuerpo que es altamente visible en una máquina de rayos X. La máquina de rayos X rápidamente toma una serie de imágenes (angiogramas) que revelan muchas características ocultas o sutiles de las arterias.

Angiografía por resonancia magnética (ARM). En lugar de usar rayos X para producir una imagen, la resonancia magnética usa campos magnéticos y ondas de radio. El dispositivo detecta y almacena pequeñas señales de energía emitidas por los átomos que constituyen el tejido corporal. Un programa de computadora reconstruye las imágenes con base en esta información.

Ultrasonografía. Este procedimiento utiliza ondas sonoras de alta frecuencia para

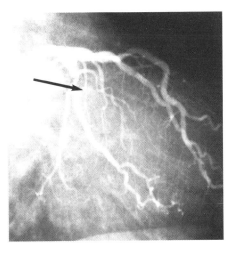

Arteriograma coronario

Este angiograma muestra un bloqueo parcial en una arteria coronaria (véase la flecha), el cual restringe el flujo sanguíneo al músculo cardiaco.

seguir la función del sistema circulatorio. Las ondas rebotan en las estructuras internas y regresan al transductor, el cual convierte las ondas reflejadas en una imagen distintiva (véase el ejemplo en la página 73).

Si el médico sospecha que podría haber un riñón encogido, un aneurisma aórtico abdominal o un tumor de la glándula suprarrenal, las pruebas adicionales podrían incluir:

Imagen de resonancia magnética (RM). Este procedimiento está basado en los mismos principios de la ARM, pero brinda imágenes detalladas de órganos en lugar de vasos sanguíneos.

Tomografía computarizada (TC). La imagen producida por un escaneo de TC se genera por una emisión de rayos X, pero esta técnica brinda mucho más información que una radiografía ordinaria. Esto se debe a que la máquina en forma de dona contiene un escáner que rota y produce una serie de emisiones desde todos los ángulos alrededor del cuerpo. Una computadora reúne estas señales de rayos X y las procesa en imágenes tridimensionales detalladas de los órganos internos.

Rastreo nuclear. Después de que se inyecta material radiactivo en la vena, se toman imágenes nucleares que muestran al material pasando a través de una localización u órgano específicos. Los rastreos nucleares se usan para monitorizar el flujo sanguíneo y para determinar el tamaño y función de los órganos.

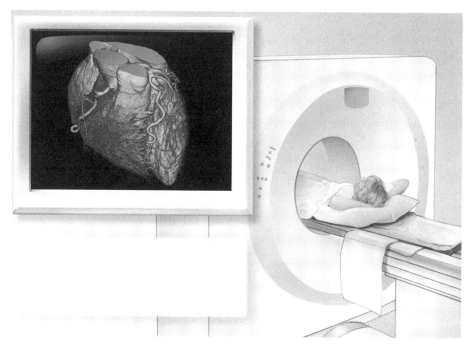

Tomografía computarizada

Un rastreo por tomografía computarizada incluye tomar múltiples rayos X altamente especializados de un órgano como el corazón. Con la ayuda de programas de computación se pueden crear imágenes altamente detalladas del corazón y los vasos sanguíneos.

Cómo decidir un plan de tratamiento

El tratamiento de la hipertensión se debe ajustar a las necesidades particulares del paciente. Éste es el motivo por el cual el tipo de tratamiento que funciona para un individuo podría no ser el mejor para otro. El médico y usted necesitarán considerar la historia médica, una exploración física actual y los resultados de pruebas de laboratorio para determinar el plan más efectivo y personalizado.

Hay dos métodos básicos para reducir la hipertensión —cambiar los aspectos no saludables del estilo de vida y tomar medicamentos—. Dependiendo de la salud y los factores de riesgo, los cambios de vida recomendados podrían incluir perder peso, ser más activo, consumir una dieta más saludable, reducir el sodio, dejar de fumar, limitar el alcohol y controlar el estrés.

Se usan varios tipos de medicamentos para controlar la presión arterial, y hay nuevos desarrollos en el horizonte. La investigación genética sugiere que la herencia podría potencialmente usarse para elegir ciertos medicamentos para determinados individuos para aumentar la eficacia de los fármacos.

Estos medicamentos afectan la presión arterial en diferentes formas. Es importante no compartir los medicamentos prescritos con nadie más. Los medicamentos pueden no ser del mismo tipo.

Últimos lineamientos

El *National Heart, Lung, and Blood Institute* (NHLBI), una división de los *National Institutes of Health,* periódicamente hace un reporte llamado *Joint National Committee on Prevention, Detection, Evaluation, and Treatment of High Blood Pressure.* El séptimo reporte se hizo en 2003 y a menudo se refiere como JNC 7.

El reporte divide a la hipertensión en tres categorías —prehipertensión, hipertensión de estadio 1 e hipertensión de estadio 2—. El JNC 7 también hace recomendaciones de tratamiento para personas en cada categoría (véase página 78).

El riesgo de enfermedad cardiovascular, ataque vascular cerebral y enfermedad renal se determina de acuerdo con la presión arterial, la condición de los órganos internos y la presencia de otros factores de riesgo, junto con cualquier daño cardiovascular. Si hay prehipertensión y no se puede reducir la presión arterial, hay una buena probabilidad de que se presente un evento cardiovascular y de que se desarrolle estadio 1 de hipertensión.

Lineamientos de tratamiento

Nivel de presión arterial (mm Hg)	Tratamiento
Normal (119/79 o menos)	Buscar un estilo de vida saludable
Prehipertensión (120-139/u 80-89)	Adoptar un estilo de vida saludable
Estadio 1 (140-159/o 90-99)	Cambios de estilo de vida*, más medicamentos
Estadio 2 ($\geq$ 160/o $\geq$ 100)	Cambios de estilo de vida, y más de un medicamento

* Si no existen factores de riesgo, el médico puede recomendar primero una prueba de corta duración con cambios de estilo de vida sin medicamentos.

Factores de riesgo principales que pueden afectar el tratamiento

Tabaquismo

Niveles de grasa corporal (lípidos) no deseables

Inactividad física

Obesidad (IMC $\geq$ 30)

Diabetes

Alteración de la función renal

Edad (> 55 para varones, > 65 para mujeres)

Sexo (varón, o mujer posmenopáusica)

Antecedente familiar de enfermedad cardiovascular (edad < 55 para varones, edad < 65 para mujeres)

Daño orgánico o enfermedad que puede afectar el tratamiento

Enfermedad cardiaca

Engrosamiento del músculo en la cámara principal de bombeo

Ataque cardiaco previo o dolor precordial (angina)

Cirugía de derivación o angioplastia previas

Insuficiencia cardiaca

Ataque vascular cerebral o ataque isquémico transitorio (miniataque)

Enfermedad renal crónica

Daño a arteria periférica

Daño de la retina

Adaptado de los *National Institutes of Health. The Seventh Report of the Joint National Committee on Prevention, Detection, Evaluation, and Treatment of High Blood Pressure, 2003.*

Los números sobre el progreso son contradictorios

Desde 1972, cuando los NHLBI empezaron una campaña intensiva de educación, ha habido una continua mejoría en la toma de conciencia, tratamiento y control de la hipertensión. Como resultado, la muerte y la discapacidad atribuidas a la enfermedad disminuyeron significativamente. Los índices de muerte por ataque vascular cerebral se redujeron en cerca de 70 por ciento, y las muertes por ataque cardiaco disminuyeron en más de 60 por ciento.

Durante el inicio de la década de 1990, estas mejorías dramáticas redujeron su velocidad. Los motivos para esta reducción no están claros. Un aumento en la obesidad y la falta de ejercicio pueden ser factores. En *Health, United States, 2002*, un reporte del *Surgeon General*, se observó que tres de cada cinco adultos de 20 a 74 años tenían sobrepeso, y que uno de cuatro estadounidenses se consideraba obeso. El reporte también hizo notar que cerca de 40 por ciento de los estadounidenses no están involucrados en ninguna actividad física durante el tiempo libre.

Otro factor puede ser la complacencia. Las presiones arteriales por arriba de lo normal se pueden considerar muy a menudo —tanto por los médicos como por los pacientes— como que están "casi" bajo control y por lo tanto no son de gran preocupación.

A pesar de estos hallazgos, también hay buenas noticias. Los datos provenientes de la *National Health and Nutrition Examination Survey* (NHANES) en personas con hipertensión, así como los datos de atención médica provenientes de organizaciones de manejo asistencial y de *Veterans Affairs* mostró mejoría en los índices de control de la presión arterial. El índice de control mejoró de 29 por ciento en 1999 a 2000 a 37 por ciento en 2003 a 2004. Estas mejorías fueron particularmente importantes en adultos mayores de 60 años.

Los lineamientos recientes provenientes de instituciones fuera de Estados Unidos —por ejemplo, la *European Society of Hypertension-European Society of Cardiology, World Health Organization-International Society of Hypertension, British Hypertension Society* y *Canadian Hypertension Society*— toman un enfoque similar. Estudios recientes han brindado evidencia que apoya, en ciertas circunstancias, metas de presión arterial incluso menores que las establecidas por algunas de estas organizaciones.

El tratamiento de la prehipertensión y de la hipertensión se fundamenta en varios factores importantes. Estos incluyen si existe enfermedad cardiovascular o algún factor de riesgo para ella. También toma en cuenta la presión arterial sistólica y diastólica.

Mientras que la meta de tratamiento siempre será la misma —reducir la presión arterial—, el número de factores de riesgo determinará qué tan agresivamente se trate la hipertensión. Se pondrá atención especial en dirigirse a los factores de riesgo reversibles, como el tabaquismo, niveles altos de colesterol y diabetes.

Prehipertensión. Si existe prehipertensión, se está en mayor riesgo de hipertensión sostenida y desarrollo de complicaciones cardiovasculares. Se alentará a adoptar cambios en el estilo de vida diseñados para reducir la presión arterial a un menor nivel (véase el cuadro de la página 78). Si hay enfermedad renal, enfermedad cardiaca o diabetes, también se podrían requerir medicamentos.

Estadio 1 de hipertensión. Para las personas en el estadio 1 de hipertensión, los cambios en el estilo de vida son parte de la primera línea de tratamiento. También es probable que se necesite un antihipertensivo para tener la presión arterial bajo control. Para la mayoría de las personas con estadio 1 de hipertensión, un diurético tiacídico podría ser una de las opciones más efectivas. Otras opciones incluyen un inhibidor de la enzima convertidora de la angiotensina (ECA), un bloqueador del receptor de la angiotensina II (BRA) o un bloqueador del canal de calcio (BCC).

Estadio 2 de hipertensión. Los individuos en esta categoría están en el mayor riesgo de ataque cardiaco, ataque vascular cerebral u otros problemas relacionados con la hipertensión. Por lo general se recomienda una combinación de dos medicamentos junto con cambios en el estilo de vida. Los medicamentos pueden incluir un diurético tiacídico utilizado con un inhibidor de la ECA, un BRA, un BCC o un inhibidor de renina.

Refinar las metas de tratamiento

El plan de tratamiento para la hipertensión incluirá metas específicas que toman en cuenta otros factores además del nivel de la presión arterial y las conductas no saludables. Por ejemplo, el médico también considerará la salud general y la presencia de otras enfermedades y condiciones.

Si existe diabetes o enfermedad renal, o ha habido enfermedad cardiaca, ataque vascular cerebral o un ataque isquémico transitorio, la meta de presión arterial se podría establecer en menos de 130/80 mm Hg para reducir todavía más el riesgo de complicaciones. (Nótese que el límite inferior del rango para el estadio 1 de hipertensión es de 140/90 mm Hg.) Si hay enfermedad renal o cardiaca grave, el médico podría aconsejar una meta menor de 120/75 mm Hg.

Conceptos erróneos comunes

Muchas personas que toman medicamentos para la hipertensión creen que no es tan importante hacer cambios en el estilo de vida simplemente porque el medicamento está cuidando del problema. Esto no es cierto.

Algunas veces, el medicamento puede reducir la presión arterial, pero sólo en cierta cantidad; y tal cantidad puede no ser suficiente para lograr el nivel meta de presión arterial. Sin embargo, tener éxito con los cambios en el estilo de vida, además de tomar el medicamento, a menudo puede ayudar a lograr la meta de presión.

Si se puede lograr la meta de presión arterial con medicamentos, hacer cambios en el estilo de vida podría ayudar a reducir la cantidad de medicamento necesario. Menos medicamento, por lo general, significa menos costos. Si el medicamento causa efectos secundarios molestos, reducir la dosis podría disminuirlos. Algunas personas que han cambiado significativamente su estilo de vida han dejado de tomar medicamentos por completo.

Finalmente, los cambios en el estilo de vida son importantes para todas las personas con hipertensión debido a que ayudan a reducir el riesgo de ataque vascular cerebral, ataque cardiaco, insuficiencia cardiaca, insuficiencia renal y demencia.

Lograr las metas requiere un compromiso completo. Consulte con el médico de manera regular para valorar el progreso y para ajustar el plan de tratamiento. Lograr la meta más rápido da como resultado menos riesgo de que se presenten eventos cardiovasculares; por lo tanto no se debe esperar más que unos pocos meses para que

¿Cómo manejo los cambios en el estilo de vida?

Puede ser agobiante intentar ajustar la dieta, empezar a ejercitarse, reducir el estrés, dejar de fumar y vigilar la ingesta de alcohol todo al mismo tiempo. Éstas son reglas generales que podrían guiar sus decisiones y mantenerlo en el camino:

Primero, mantenga sus metas realistas. Si pone muy altas sus expectativas o se sostiene en metas imposibles, se está predisponiendo al fracaso. Por ejemplo, no espere trotar 8 km cuando empiece a hacerlo.

Segundo, no trate de cambiar muy rápido. Ésta no es una carrera. Está tratando de desarrollar un nuevo estilo de vida, y deshacerse de hábitos que probablemente siguió durante años. Esto no se da de la noche a la mañana.

Tercero, es importante que disfrute y encuentre satisfacción en los cambios que está haciendo en su estilo de vida. Si no le gusta lo que está haciendo, es poco probable que permanezca con el plan.

Cuarto, es inevitable que tenga recaídas ocasionales, por ejemplo, cuando viaje o trabaje con horarios apretados, ya que come mal y no se ejercita. Cuando esto suceda no se desaliente y regrese a su plan.

Quinto, permanezca enfocado en su salud. Recuérdese a sí mismo que ser saludable le permite estar con energía, fuerte y activo y disfrutar una calidad de vida óptima.

funcionen los cambios en el estilo de vida o el medicamento.

Cómo ser una pareja activa

Se puede tener una vida larga y saludable con hipertensión. Pero para esto necesita reconocer que la hipertensión es una condición seria que se puede controlar. Si le diagnostican hipertensión o considera que está en alto riesgo de desarrollarla, el médico podría pedirle que haga cambios fundamentales en su estilo de vida. Esto lo convierte en un participante activo en el cuidado de su salud.

Los capítulos en la Parte 2 de este libro describen cinco pasos para controlar la hipertensión: comer bien, ser más activo, dejar de fumar y limitar el alcohol, reducir el estrés y tomar los medicamentos adecuados. Estos pasos pueden guiarlo para asumir las responsabilidades cotidianas para el plan de tratamiento que el médico le asigne.

Se debe reconocer que se necesita un esfuerzo en equipo para tratar la hipertensión. No lo puede hacer solo, y no puede depender de que el médico lo haga por usted. Que todos trabajen juntos y lo apoyen, incluyendo a la familia y amigos, puede ayudar a lograr las metas.

Recordatorio

Puntos clave a recordar:

- Muchos factores pueden tener influencia sobre una sola lectura de la presión arterial incluyendo la dieta, actividad, ingesta de líquidos, nivel de estrés, postura y hora del día.

- Un diagnóstico de hipertensión se hace después de múltiples lecturas que muestran, de manera persistente, una presión sistólica o diastólica alta, o ambas.

- Una historia médica, exploración física y pruebas de laboratorio de rutina son parte usual del proceso para diagnosticar hipertensión.

- El tratamiento adecuado de la hipertensión depende del estadío de presión arterial, el daño orgánico, los factores de riesgo cardiovascular, y la presencia de diabetes u otras enfermedades.

- Incluso si toma medicamentos, los cambios en el estilo de vida son esenciales para controlar la hipertensión.

Parte 2

Cinco pasos para controlar la hipertensión

Paso 1

Comer de manera inteligente

De todos los factores que tienen influencia en la presión arterial, la dieta es quizá el factor en el que más se puede hacer cambios. No se pueden cambiar los genes y no se puede dejar de envejecer, pero sí se puede decidir cuál alimento poner en el plato.

Al elegir alimentos más saludables, se puede reducir la presión arterial y mantenerla bajo control. Incluso cambios modestos pueden hacer una diferencia significativa. Una dieta saludable, con actividad física y otros cambios del estilo de vida, pueden reducir la probabilidad de que se necesiten medicamentos para tratar la hipertensión. O podría significar tomar menos medicamentos o a una menor dosis.

Como lo sugieren las valoraciones en la introducción de este libro, los beneficios de una dieta saludable se extienden más allá de la presión arterial para la salud del corazón y una buena salud en general —al reducir el riesgo de ataque vascular cerebral, ataque cardiaco, insuficiencia cardiaca e insuficiencia renal—. Comer bien también puede ayudar a perder peso o a evitar aumentar de peso, factores importantes en el manejo de la presión arterial.

Comer, de manera inteligente, para manejar la hipertensión incluye más que sólo reducir la ingesta de sal. Durante décadas los funcionarios de salud pública le decían a la gente con hipertensión que limitara el sodio en la dieta. Este consejo todavía se mantiene, pero resulta que la sal es sólo una parte de la historia. Estudios recientes han mostrado que otros aspectos de la dieta, incluyendo los hábitos alimenticios, pueden afectar la presión arterial. Una visión integral de la alimentación es una propuesta más sensata que enfocarse únicamente en la sal.

Además comer de manera inteligente no significa contar calorías y dejar los alimentos que agradan. Se puede disfrutar de una variedad de alimentos que lo mantienen saludable en los años venideros. Lea lo que sigue para aprender más acerca de qué comer más, qué comer menos y cómo incorporar buenas conductas alimenticias en la vida diaria.

Aspectos básicos de la alimentación saludable

Con los años, muchos estudios han demostrado los beneficios de comer de manera saludable. Pero exactamente ¿qué significa una "dieta saludable"? Es más que sólo contar calorías. Simplemente, una dieta saludable es rica en frutas, verduras, granos enteros y productos lácteos de bajo contenido graso o sin grasa. Al enfatizar en estos alimentos, tal dieta limita la grasa, el colesterol y las calorías mientras brinda cantidades abundantes de nutrientes y fibra.

Una dieta con estas características es la dieta DASH. Conocida oficialmente como *Dietary Approaches to Stop Hypertension* (DASH), brinda un método de buena alimentación para toda la vida. La dieta DASH se basa en varios estudios clave que compararon varios planes de alimentación.

En el primer estudio, las personas con hipertensión o en riesgo de hipertensión siguieron una de tres dietas —una "típica" dieta estadounidense, la dieta DASH, o una dieta que promoviera las frutas y verduras pero que no limitara los lácteos o la grasa—. Los participantes que llevaron la dieta DASH fueron capaces de reducir la presión arterial de manera importante— y en dos semanas—. Los participantes de origen afroamericano y aquellos con hipertensión experimentaron las reducciones más dramáticas. La dieta DASH también redujo los niveles de colesterol de lipoproteína de baja densidad (colesterol LDL o "malo").

La dieta DASH original incluyó cerca de 3 000 miligramos (mg) diarios de sodio —menos de lo que consume la mayoría de los estadounidenses diariamente—. Un estudio de seguimiento, llamado DASH-Sodium, encontró que consumir menos sal produjo una reducción mayor de la presión arterial. Los participantes que consumieron no más de 1 500 mg de sodio al día experimentaron las mayores reducciones en la presión arterial.

En el estudio *OmniHeart Trial,* los investigadores modificaron la dieta DASH al reemplazar algunos carbohidratos ya sea con más proteína o con más grasa insaturada. Ambas dietas redujeron más la presión arterial —y también mejoraron los niveles de triglicéridos y colesterol, posiblemente al reducir el riesgo de enfermedad coronaria—.

Otras opciones dietéticas

Otros planes de alimentación comparten premisas similares a las de la dieta DASH. Uno de tales planes es la "Pirámide de Peso Saludable de la Clínica Mayo", la cual está diseñada para ayudar a lograr y mantener un peso saludable. Al igual que la dieta DASH, la "Pirámide de Peso Saludable" promueve comer más granos enteros, frutas y verduras y menos productos de origen animal, incluyendo carne,

Un método con bajo contenido de carbohidratos

El estudio OmniHeart mostró que al reemplazar algunos carbohidratos con proteína o con grasa monoinsaturada se reducen los niveles de presión arterial incluso más que con la dieta DASH regular. Pero la mayor ingesta de proteína no se traduce en sólo comer más tocino y carne. Cerca de dos tercios de la proteína agregada en el estudio provenía de fuentes vegetales, incluyendo leguminosas, granos, nueces y semillas. La dieta con mayor contenido de grasa monoinsaturada incluyó más aceite de oliva, canola y cártamo, así como nueces y semillas.

Si está interesado en una propuesta con menos carbohidratos, no olvide poner atención en las calorías en general. Las grasas tienen más calorías por ración que los carbohidratos y las proteínas. Si se sustituyen las grasas por carbohidratos, asegúrese de ajustar las raciones diarias para cumplir con la meta de calorías.

Dulces
Hasta 75 calorías al día

Grasas
3 a 5 raciones diarias

Proteínas/Lácteos
3 a 7 raciones diarias

Carbohidratos
4 a 8 raciones diarias

Frutas
Ilimitadas (mínimo 3)

Verduras
Ilimitadas (mínimo 4)

Pirámide de peso saludable de la Clínica Mayo™

© *Mayo Foundation for Medical Education and Research.*
Vea al médico antes de que empiece cualquier plan de peso saludable.

Pirámide de Peso Saludable de la Clínica Mayo

La dieta DASH es similar en muchos aspectos a la "Pirámide de Peso Saludable de la Clínica Mayo" —los principios de los cuales se puede brindar un plan de alimentación saludable para la mayoría de las personas—. Ambos métodos dietéticos enfatizan un mayor consumo de frutas, verduras y productos de grano entero que contengan carbohidratos, y menor consumo de carne.

aves y pescado. El plan DASH difiere en que separa las proteínas de origen vegetal de las de origen animal, recomendando cuatro a cinco raciones a la semana de nueces, semillas y leguminosas (fuentes de proteína vegetal).

Otro plan de alimentación que puede ayudar a controlar la hipertensión se conoce como la dieta mediterránea. Basada en las dietas tradicionales de países como Grecia e Italia, la dieta mediterránea incluye una cantidad

generosa de frutas, verduras, aceite de oliva, leguminosas, nueces, pasta, arroz y pan. Se consumen cantidades moderadas de pescado, lácteos, vino y frijoles, mientras que la carne roja se come esporádicamente.

En comparación con la dieta DASH, la dieta mediterránea incluye una mayor cantidad de grasas insaturadas, principalmente provenientes del uso de aceite de oliva, nueces y pescado. Consideradas saludables para el corazón, estas fuentes de grasa no

Metas de calorías diarias

El número de calorías que la mayoría de los adultos deben comer al día varía de 1 600 a 2 400 calorías. Una guía de raciones para la dieta DASH se fija típicamente en 2 100 calorías diarias. Para perder peso, se recomienda que una mujer promedio establezca su meta de calorías en 1 200 calorías, y un varón promedio en 1 400 calorías —si su peso está por debajo de 125 kg—. Consulte al médico o nutriólogo si tiene preguntas acerca de la meta de calorías.

elevan el nivel de colesterol en la sangre. Varios estudios mostraron que las personas que consumieron una dieta al estilo mediterráneo redujeron su presión arterial tanto como las personas que siguieron una dieta DASH regular, pero menos que las personas que tuvieron una dieta DASH baja en sodio.

Discuta con el médico o nutriólogo acerca de cuál plan de tratamiento podría ajustarse mejor a su salud y preferencias de alimentación. Para muchas personas con hipertensión, es sensato empezar con la dieta DASH. Un estudio reciente encontró que los individuos con prehipertensión y estadio 1 de hipertensión que combinaron la dieta DASH con cambios completos de estilo de vida, que incluyeron pérdida de peso, actividad física y reducción de ingesta de sodio y alcohol, fueron capaces de lograr un mejor control de la presión arterial.

La dieta DASH

El plan de alimentación DASH se enfoca en alimentos ricos en nutrientes que pueden ayudar a reducir la presión arterial, y que incluyen minerales esenciales como el potasio, el calcio y el magnesio.

Además de cantidades abundantes de frutas y verduras, la dieta DASH incluye granos enteros, productos lácteos bajos en grasa, aves, pescado y nueces. Esta dieta sigue lineamientos de salud del corazón al limitar la grasa saturada y el colesterol, así como reducir la ingesta de carnes rojas, dulces y bebidas azucaradas. El estudio DASH-Sodium demostró que la mayor reducción de la presión arterial se presentó al incluir menor ingesta de sodio con una dieta saludable.

El plan de alimentación DASH

Grupo de alimentos	Raciones diarias	Tamaños de las raciones
Granos enteros	6 a 8	$^1/_2$ taza (3 oz/90 g) de arroz, pasta o cereal cocidos. 1 oz (30 g) de cereal listo para comerse (seco) (el tamaño de la ración varía entre $^1/_2$ taza y $1^1/_4$ de taza, dependiendo del tipo de cereal). 1 rebanada de pan. $^1/_2$ *muffin* inglés.
Verduras	4 a 5	1 taza (2 oz/60 g) de verduras de hojas crudas. $^1/_2$ taza (3 oz/90 g) de verduras en trozos, crudas o cocidas. 1 papa mediana. $^1/_2$ taza (4 fl oz/120 mL) de jugo de fruta.
Frutas	4 a 5	1 fruta mediana, como una manzana o plátano. 17 uvas. $^1/_2$ taza (3 oz/90 g) de fruta fresca, congelada o enlatada. $^1/_4$ de taza (1 $^1/_2$ oz/45 g) de fruta seca, como pasas. $^3/_4$ de taza (6 fl oz/180 mL) de jugo de fruta al 100 por ciento.
Leche y productos lácteos sin grasa	2 a 3	1 taza (8 fl oz/250 mL) de leche o 1 taza de yogur de bajo contenido graso (8 oz/250 g). 1 $^1/_2$ oz (45 g) de queso. 2 tazas (16 oz/500 g) de queso cottage de bajo contenido graso o sin grasa.

Grupo de alimentos	Raciones diarias	Tamaños de las raciones
Carnes magras, pollo y pescado	6 o menos	1 oz (30 g) de carne, pollo o pescado cocidos. 1 huevo (no más de 4 yemas de huevo a la semana).
Nueces, semillas y leguminosas	4 a 5 a la semana	$1/3$ de taza (1 $1/2$ oz/45 g) de nueces. 2 cucharadas ($1/2$ oz/15 g) de mantequilla de cacahuate. 2 cucharadas ($1/2$ oz/15 g) de semillas. $1/2$ taza (3 $1/2$ oz/105 g) de leguminosas cocidas (frijoles y chícharos).
Grasas y aceites	2 a 3	1 cucharadita de margarina suave. 1 cucharadita de aceite vegetal. 1 cucharada de mayonesa. 2 cucharadas de aderezo de ensalada regular. 4 cucharadas de aderezo de ensalada de bajo contenido graso.
Dulces y azúcares agregados	5 o menos a la semana	1 cucharada de azúcar. 1 cucharada de jalea o mermelada. $1/2$ taza de sorbete o gelatina. 1 taza de limonada.

Estas cantidades están basadas en un plan de alimentación de 2 100 calorías. La mayoría de las personas necesitan entre 1 600 y 2 400 calorías diarias, dependiendo de la edad, el sexo y el nivel de actividad. Para reducir el número de calorías en la dieta DASH, véanse las páginas 120-121 o hable con un nutriólogo.

El plan de alimentación DASH se puede encontrar en el sitio Web del *National Heart, Lung, and Blood Institute* en *www.nhlbi.nih.gov*.

Las siguientes secciones brindan más detalles de los tipos de alimentos que podría elegir cuando use la dieta DASH para ayudar a controlar la presión arterial.

Granos enteros: 6 a 8 raciones. Los granos enteros incluyen alimentos como el pan de grano entero y la pasta, avena, arroz integral, sémolas y palomitas de maíz sin sal. Los granos enteros brindan más fibra y nutrientes que los granos altamente procesados o refinados, como el arroz blanco y el pan blanco. Seleccione panes simples de levadura y grano entero en lugar de panes y panecillos dulces y otros productos ("quick breads" son panes que se preparan sin levadura —con bicarbonato y polvo leudante— y que llevan huevos y mantequilla.)

CONSEJO: Los panes y las pastas tienen bajo contenido en grasa y calorías, de manera natural. Para mantener una rebanada de pan de esta manera, tenga cuidado acerca de qué le va a untar. Evite las salsas de crema o queso encima de la pasta —opte mejor por las salsas de verduras o jitomate—.

Frutas y verduras: 4 a 5 raciones de cada una. Comer más frutas y verduras puede ser una de las mejores cosas que puede hacer para mejorar la presión arterial y la salud en general. Además de ser prácticamente libres de grasa y de bajo contenido en calorías, las

frutas y verduras brindan fibra y una variedad de nutrientes completos que ayudan a reducir la presión arterial. Las frutas y verduras también contienen fitoquímicos, sustancias que pueden ayudar a reducir el riesgo de enfermedad cardiovascular y algunos cánceres.

Comer más frutas y verduras puede también ayudar a reducir las calorías sin disminuir la cantidad de lo que come. Estos alimentos tienen una densidad energética baja, esto significa que hay pocas calorías en un gran volumen de alimento —llenarán el estómago sin agregar muchos kilos—. La clave es comer frutas y verduras solas o con un poco de hierbas y condimentos, y evitar cubrirlas con dips o salsas con alto contenido en grasa.

Las papas, maíz y chícharos constituyen casi la mitad de las verduras en la típica dieta estadounidense. Podría ser tiempo de pensar más allá de papas a la francesa, y comer más vegetales de color verde oscuro, como el brócoli, coles de Bruselas y espinacas. Otras selecciones nutritivas incluyen lechuga romana, tomates, pimientos, cebollas, zanahorias y aguacates.

Las frutas calificadas como más nutritivas incluyen melón, mandarinas, naranjas, toronja, variedades de bayas, albaricoque, kiwi y sandía.

CONSEJO: Con raciones abundantes de frutas, verduras y granos enteros, la dieta DASH es rica en fibra. Aumentar la ingesta de fibra algunas veces puede causar distensión y diarrea. Para evitar estos problemas, siga un método gradual para aumentar el consumo de estos alimentos. También puede probar suplementos de venta sin receta para ayudar a evitar el gas.

Leche y productos lácteos sin grasa o con poco contenido de grasa: 2 a 3 raciones. Los lácteos son fuentes del mineral esencial calcio así como de vitamina D, la cual ayuda al cuerpo a absorber el calcio. Los lácteos también son fuentes valiosas de proteína en la dieta.

Sin embargo, se necesitan usar variedades con bajo contenido en grasa o sin grasa y evitar las variedades con grasa entera. En el supermercado, seleccione leche y yogur descremados o con poca grasa (1%), y quesos sin grasa o con bajo contenido graso o reducidos en grasa. Busque yogur y queso que contengan menos de 200 mg de sodio por ración.

En las recetas, sustituya los lácteos de más alto contenido graso por otros con menos grasa, como leche descremada o con poca grasa. Sin embargo, note que el queso crema reducido en grasa y la crema ácida tienen mayor contenido de sodio que los productos equivalentes que tienen más grasa. Por lo tanto úselos con prudencia.

CONSEJO: Si tiene intolerancia a la lactosa y tiene problemas para digerir los lácteos, se podría beneficiar con alimentos que contengan la enzima lactasa, los cuales pueden reducir o prevenir los síntomas de intolerancia a la lactosa. También puede tomar tabletas de lactasa antes de comer estos alimentos.

Pescado frente a suplementos de aceite de pescado

Los dietistas, por lo general, recomiendan comer por lo menos dos veces a la semana pescado por los posibles beneficios para el corazón. Algunos pescados —en particular, los tipos grasos prevalentes en aguas frías, como el salmón, la macarela, el atún, la trucha y el arenque— contienen grandes cantidades de ácidos grasos omega-3, un tipo de grasa insaturada. Comer ácidos grasos omega-3 puede reducir el riesgo de enfermedad cardiaca y ayudar a reducir la presión arterial.

Pero ciertos pescados contienen cantidades importantes de contaminantes ambientales, incluyendo mercurio y bifenoles policlorinados (BPC). La cantidad de toxinas depende del tipo de pescado y dónde se pescó.

Cuando se refiere a salud cardiaca, los beneficios de comer pescado sobrepasan los posibles riesgos de exposición a tóxicos. Sin embargo, debido a que los niños y las mujeres embarazadas o que están considerando embarazarse son más susceptibles a la toxicidad por pescado, ellos deben limitar su consumo.

Algunos investigadores abogan por que se tomen suplementos de aceite de pescado para obtener los beneficios de los ácidos grasos omega-3 sin los riesgos de toxinas. Pero la *American Heart Association* recomienda los suplementos de aceite de pescado sólo para personas con enfermedad cardiaca o niveles altos de triglicéridos. En dosis altas, las cápsulas de aceite de pescado representan riesgos, en especial si se toma aspirina, de manera regular, o un anticoagulante, como la warfarina. Antes de tomar cápsulas de aceite de pescado, consulte al médico.

Para evitar algunos de los peligros asociados con el consumo de pescado, siga estos lineamientos:

- Ponga atención al tipo de pescado que consume y qué tanto come. Consulte con el departamento de salud estatal o local para recomendaciones.
- Coma variedades de pescados, incluyendo mariscos, pescado enlatado o pescado de agua salada más pequeño. Se puede comer con seguridad 350 g de pescado cocido a la semana. Evite los pescados grandes y predadores como el tiburón, el pez espada y el blanquillo.
- Las mujeres y niños no deben comer más de 180 g de atún enlatado a la semana y no más de 350 g de la mayoría de los demás pescados.
- El salmón de granja tiene niveles significativamente mayores de BPC que el salmón silvestre. Pero el mercurio se encuentra en iguales cantidades en los dos tipos de pescado.

Carnes magras, pollo y pescado: 6 o menos raciones. Estos alimentos son fuentes ricas en proteína, vitaminas B, magnesio, hierro y zinc. Elija cortes magros de carne, como el lomo, filete o sirloin, y retire la grasa. Cuando prepare pollo, quite la piel para reducir la mitad de la grasa. Debido a que incluso las variedades magras contienen mucha grasa y colesterol, intente limitar todas las fuentes de alimento de origen animal.

El pescado es una de las fuentes de proteína animal más saludables. Ciertos pescados contienen grandes cantidades de ácidos grasos omega-3, los cuales pueden reducir el riesgo de enfermedad coronaria muerte cardiaca súbita y reducir la presión arterial.

CONSEJO: Elija carne, pollo y pescado frescos en lugar de los productos procesados, ahumados o curados. Estos a menudo contienen más de 200 mg de sodio por ración. Hervir, asar y escalfar son las formas más saludables de preparar la carne, el pollo y el pescado. El pescado se puede cocinar en un papel encerado o aluminio para conservar el sabor y los jugos.

Nueces, semillas y leguminosas: 4 a 5 raciones a la semana. Estos alimentos varían desde almendras, cacahuates, nueces, avellanas, mantequilla de cacahuate y semillas de girasol hasta leguminosas como frijoles, chícharos y lentejas. Éstos son una excelente fuente de proteína y no tienen colesterol. También brindan una variedad de nutrientes, incluyendo magnesio y potasio, más fitoquímicos y fibra. Las nueces y las semillas contienen grasa, pero la mayoría es insaturada, el tipo que ayuda a proteger de la enfermedad coronaria.

CONSEJO: Tenga cuidado con las nueces saladas. Elija productos con menos de 200 mg de sodio por ración.

Grasas y aceites: 2 a 3 raciones. Muchas personas se sorprenden de oír que ciertas grasas son esenciales para una buena salud. Las grasas brindan reservas de energía almacenada y juegan papeles vitales en diferentes procesos corporales. Pero el consumo de grasas se debe limitar a las variedades monoinsaturadas. Todas las grasas contienen aproximadamente 45 calorías por ración y son alimentos de densidad alta. En los estudios DASH, 27 por ciento de las calorías en la dieta diaria provino de las grasas, incluyendo la grasa de los alimentos y la agregada en la preparación.

Los productos de origen animal —carnes, lácteos y huevos— son la principal fuente de grasa en la dieta estadounidense. Las verduras, frutas y granos son relativamente bajos en contenido graso. Las elecciones saludables de grasa

Cómo elegir las grasas de una manera inteligente

No todas las grasas son iguales. La mayoría de planes para comer saludablemente, incluyendo la dieta DASH, le invitan a limitar de manera importante la cantidad de grasa saturada que consume. Los alimentos con alto contenido en grasas saturadas incluyen las carnes rojas, lácteos con grasa entera y aceites tropicales como el aceite de palma y de coco.

Otro tipo de grasa no saludable es el ácido graso trans, el cual puede elevar los niveles de colesterol LDL "malo" y aumentar el riesgo de enfermedad cardiovascular. Los ácidos grasos trans se encuentran en los aceites parcialmente hidrogenados, un ingrediente común en las galletas y alimentos fritos. Revisar las etiquetas de los alimentos le puede ayudar a evitar estas grasas malas.

Las grasas más saludables incluyen las grasas monoinsaturadas —que se encuentran en el aceite de oliva, el de canola, el de cacahuate, las nueces y los aguacates— y los ácidos grasos omega-3. El pescado graso como el salmón, macarela y arenque contienen altas cantidades de ácidos grasos omega-3, mientras que cantidades menores se encuentran en los vegetales de hojas verdes, frijoles de soya, nueces, linaza y aceite de canola.

Los ácidos grasos omega-3 pueden beneficiar al corazón al reducir el nivel de triglicéridos y reducir el riesgo de coágulos sanguíneos, placas que tapan las arterias y muerte súbita por ritmo cardiaco anormal. También reducen la presión arterial.

incluyen margarina suave y aceites de oliva, canola, maíz y cártamo.

CONSEJO: Invierta en sartenes antiadherentes para cocinar. Si normalmente agrega una cucharada de aceite vegetal al sartén, puede ahorrar 120 calorías y 14 gramos de grasa al sustituirlo por un sartén antiadherente. El aerosol de aceite vegetal para cocinar agrega cerca de 1 gramo de grasa y pocas calorías.

Dulces: 5 o menos por semana. Los dulces son una fuente rica en calorías y ofrecen poca nutrición. Estos incluyen dulces, galletas, pasteles, pays y otros postres. No olvide el azúcar de mesa que agrega al cereal, frutas y bebidas.

No tiene que renunciar a los dulces por completo, pero sea inteligente acerca de lo que seleccione y qué tan grande sea la porción que tome. Cuando coma dulces, elija las versiones con bajo contenido en grasa en lugar de los productos hechos con aceite o mantequilla.

Las mejores opciones incluyen gelatina con sabor a frutas, ponche de frutas, pastel ángel, jalea, miel, miel de maple y sorbete.

CONSEJO: Reemplace toda o parte del azúcar en las recetas con canela,

Chocolate y presión arterial

La investigación ha relacionado al chocolate con la reducción de la presión arterial. La cocoa contiene flavonoles, sustancias que se piensa aumentan la producción de óxido nítrico en el cuerpo, el cual puede mejorar la función de los vasos sanguíneos y el flujo sanguíneo. Pero no se puede comer cualquier chocolate del aparador y obtener los beneficios de los flavonoles. Las técnicas estándar de procesamiento han eliminado estos químicos naturales de la mayoría de los productos comerciales de chocolate.

Los científicos han experimentado con formas de procesar los granos de cocoa que no destruyan los flavonoles. Aún así, incluso el chocolate más saludable agrega calorías a la dieta. Las personas que necesitan vigilar su peso podrían mejor cambiar a otras fuentes de flavonoles, como las manzanas y el té.

nuez moscada, vainilla y fruta para aumentar el sabor dulce.

Tres minerales importantes

La dieta DASH enfatiza en los beneficios de tres minerales —potasio, calcio y magnesio— que pueden jugar un papel en el manejo de la presión arterial. De los tres, el potasio tiene la mayor influencia. Los estudios relacionan una ingesta alta de potasio con menor presión arterial, en especial en los individuos de raza negra.

El *Institute of Medicine* recomienda que todos los adultos refuercen su ingesta de potasio. Para la mayoría de las personas, la mejor manera de obtener suficiente potasio es comer más alimentos ricos en potasio, como frutas y verduras (véase la página 102). Al comer ocho a 10 raciones al día de frutas y verduras, es más probable que se obtenga la ingesta de potasio recomendada de 4.7 gramos al día. Desafortunadamente, sólo cerca de 10 por ciento de los varones y menos de 1 por ciento de las mujeres consumen tal cantidad.

No obstante, algunas personas deben tener cuidado con su ingesta de potasio. Si tiene enfermedad renal, insuficiencia cardiaca congestiva o diabetes, hable con el médico acerca de los niveles de potasio y otros minerales en la dieta.

Además del soporte que brinda a los huesos y a los dientes, el calcio es también necesario para el funcionamiento correcto del corazón, músculos y nervios. Además, contrario a la creencia popular, la necesidad de calcio en realidad aumenta conforme se envejece. Esto se debe a que el cuerpo humano necesita constante reemplazo de calcio y, con la edad, el cuerpo será menos eficiente para absorber el calcio del alimento.

Se recomienda que la mayoría de los adultos obtengan entre 1 000 miligramos (mg) y 1 500 mg de calcio al día (véase la página 103). Desafortunadamente, muchos adultos no consumen suficiente calcio —la dieta estadounidense típica por lo general incluye sólo cerca de 600 mg—. Si está intentando perder peso, podría necesitar vigilar su ingesta de calcio cuidadosamente debido al consumo reducido de calorías.

El magnesio tiene muchas funciones bioquímicas en el cuerpo, incluyendo ayudar a mantener un ritmo cardiaco normal. El mineral se encuentra en una amplia variedad de alimentos y en el agua para beber. Se puede obtener una cantidad adecuada al consumir, de manera regular, vegetales de hojas verdes, granos enteros, leguminosas y cantidades pequeñas de carne, pollo y pescado. Las nueces y las semillas también son buenas fuentes de magnesio (véase la página 103).

¿Qué hay acerca de los suplementos de minerales?

Una dieta saludable debe brindar cantidades adecuadas de potasio, calcio y magnesio. Los estudios indican que obtener estos nutrientes de los alimentos en lugar de los suplementos ayuda a asegurar la mezcla correcta de nutrientes.

Los suplementos de potasio pueden tener serios efectos secundarios. Y algunos medicamentos para la presión arterial, como los diuréticos que retienen potasio, los inhibidores de la enzima convertidora de la angiotensina (ECA), los bloqueadores del receptor de angiotensina II y los inhibidores de la renina, pueden aumentar los niveles de potasio en la sangre. Tome suplementos de potasio sólo si el médico lo recomienda.

Si toma un diurético que haga que el cuerpo pierda potasio, el médico podría recomendar un suplemento de potasio. Los suplementos de calcio y magnesio, por lo general, no se requieren para controlar la presión arterial.

La verdad sobre la sal

De todos los aspectos relacionados con la presión arterial alta, ninguno ha sido tan debatido como la sal —específicamente, el sodio en la sal—. La investigación acerca del sodio revela un panorama complicado. Además, en el mundo real, decir no a la sal no es tan fácil o sencillo.

A pesar de la controversia, los resultados de estudios siguen apoyando limitar el sodio como un medio para reducir la presión arterial. Los efectos de una ingesta menor de sodio son mayores en personas con hipertensión, adultos mayores, afroamericanos y personas con diabetes o con enfermedad renal de larga evolución. Sin embargo, moderar el consumo de sal puede beneficiar a todos, sin importar la edad, la raza, el sexo o el estado de salud.

Fuentes de potasio, calcio y magnesio

Mineral	Cómo funciona	En dónde se encuentra
Potasio	Equilibra la cantidad de sodio en las células; la ingesta alta reduce la presión arterial.	Muchas frutas y verduras, granos enteros, leguminosas, lácteos, papas.

Buenas fuentes de potasio incluyen:

Albaricoque, plátanos, melón chino, cerezas, dátiles, higos, melón verde, kiwi, mango, nectarina, naranja, papaya, ciruelas pasas y mandarinas, jugo de manzana, jugo de toronja, jugo de uva, jugo de naranja, jugo de piña, alcachofas, frijoles, betabeles, brócoli, coles de Bruselas, coles o colinabo (cocido), champiñones, perejil, papas, calabaza de Castilla, espinaca, calabacitas, calabacín, cocoa (polvo), leche (sin grasa o con poca grasa), mantequilla de cacahuate, tofu, yogur (sin grasa o con poca grasa).

Mineral	Cómo funciona	En dónde se encuentra
Calcio	No está probado que prevenga la hipertensión, pero comer poco está relacionado con la hipertensión.	Lácteos, vegetales de hojas verdes, pescado con cartílagos, alimentos fortificados con calcio.

Buenas fuentes de calcio incluyen:

Leche (sin grasa o con bajo contenido graso), tofu con calcio, yogur (con poca grasa o sin grasa), jugo de naranja (fortificado con calcio), cereal (fortificado con calcio), salmón con huesos enlatado, queso mozzarella (parcialmente descremado), coles (cocidas), pan (fortificado con calcio), queso cottage (bajo en grasa), habas (cocidas), brócoli (cocido).

Mineral	Cómo funciona	En dónde se encuentra
Magnesio	Los niveles deficientes están relacionados con presión arterial más alta.	Leguminosas, vegetales de hojas verdes, nueces y semillas, granos enteros, carnes magras.

Buenas fuentes de magnesio incluyen:

Buenas fuentes de magnesio incluyen una amplia variedad de alimentos así como beber agua. Los alimentos incluyen vegetales de hojas verdes, granos enteros, leguminosas, nueces y semillas e incluso pequeñas cantidades de carne, pollo y pescado.

Papel del sodio

El sodio, un mineral esencial, ayuda a mantener un correcto equilibrio de líquidos en el cuerpo. También ayuda a transmitir los impulsos nerviosos e influye en la contracción y relajación de los músculos.

Se obtiene sodio de los alimentos que se consumen. Muchos alimentos contienen sodio de manera natural, pero cerca de 77 por ciento de la ingesta proviene de compuestos agregados al alimento durante el procesamiento comercial y cerca de 11 por ciento de la preparación de alimentos en casa —agregado durante el cocinado o mientras se come—. Lo que se conoce como sal de mesa, la cual es un compuesto de sodio y cloruro, es la fuente más común de sodio.

La ingesta de sodio recomendada es de 1 500 mg al día, con un límite superior de 2 400 mg para la mayoría de los adultos sanos. La mayor parte de los estadounidenses consume mucho más de eso —el promedio estimado de la ingesta diaria de sodio para los estadounidenses varía de 3 100 a 4 700 mg—.

Los riñones regulan la cantidad de sodio en el cuerpo. Cuando los niveles de sodio caen, los riñones conservan el sodio. Cuando los niveles son altos, los riñones eliminan la cantidad excesiva de sodio a través de la orina. Los factores genéticos, así como las enfermedades del corazón, del riñón, del hígado y de los pulmones, pueden interferir con la capacidad para regular el sodio.

Cuando los riñones no pueden eliminar suficiente sodio, el mineral se empieza a acumular en la sangre. Debido a que el sodio atrae y mantiene agua, el volumen sanguíneo aumenta. El corazón tiene que trabajar más para mover el mayor volumen de sangre, aumentando la presión en las arterias. Los químicos en el cuerpo que influencian el equilibrio del sodio también están afectados.

Sensibilidad al sodio

La forma en la que el cuerpo de la gente reacciona al sodio varía. Algunos adultos sanos —incluyendo a algunos con hipertensión— pueden consumir tanto sodio como quieran con poco o ningún efecto en su presión arterial.

Para otros, demasiado sodio rápidamente lleva a una presión arterial más alta y con frecuencia, desencadena la hipertensión crónica. Esta respuesta se conoce como sensibilidad al sodio o sensibilidad a la sal.

Aproximadamente 60 por ciento de los estadounidenses con hipertensión y 25 por ciento de los estadounidenses con presión arterial normal son sensibles al sodio. La condición es más común en personas de raza negra y adultos mayores. Además, las personas con diabetes o enfermedad renal de larga evolución tienden a ser más sensibles a los niveles altos de sodio.

Se desconoce exactamente qué causa la sensibilidad al sodio, pero los factores genéticos probablemente afectan la forma en la que el cuerpo maneja la sal. La sensibilidad se puede heredar en las familias, y los investigadores han identificado varios genes asociados con la presión arterial más alta (así como la presión arterial más baja).

No hay una forma fácil de decir si se es sensible al sodio. Algunos investigadores desarrollaron pruebas de sangre que pueden detectar la sensibilidad a la sal, pero se necesitan más estudios para confirmar su confiabilidad. Si se determina que es sensible a la sal, seguir una dieta con bajo contenido en sodio debería producir una reducción notable en la presión arterial.

Reducir el sodio es importante por otra razón. Por lo menos un estudio encontró que la sensibilidad al sodio aumenta el riesgo de muerte debido a enfermedad cardiaca y otras causas relacionadas con la salud, tenga o no hipertensión. Además de aumentar la presión arterial, la sensibilidad al sodio puede aumentar el riesgo de problemas renales y enfermedad cardiovascular.

La controversia

Desde la recomendación hace 30 años de que todas las personas —no sólo las que tenían hipertensión— limitaran el sodio para controlar la presión arterial, ha creado controversia. Mientras que esta acción ayuda a algunos individuos, también es cierto que, cuando otros reducen el sodio, su presión arterial disminuye muy poco, si es que lo hace.

Las críticas señalan que los estudios que relacionan una dieta reducida en sodio con una presión arterial menor no muestran mejorías en los resultados actuales —en otras palabras, los estudios no prueban que una dieta con poco sodio dé como resultado menos muertes por condiciones asociadas con la presión arterial alta como enfermedad cardiaca y ataque vascular cerebral. Estas investigaciones también hacen que surjan preocupaciones de que una dieta con bajo contenido en sodio podría de hecho aumentar el riesgo de grasas sanguíneas más altas y aumento de la resistencia a la insulina.

Sin embargo, muchos estudios grandes indican que cuando las personas consumen menos sodio, su presión arterial disminuirá y, además, se presentarán menos muertes por ataque cardiaco y ataque vascular cerebral. Esto sugiere que, mientras que limitar el sodio podría beneficiar a algunos individuos en una mínima parte, tiene un mayor impacto en la población general para la prevención de la presión arterial alta y reducción de muerte y discapacidad.

Incluso una pequeña reducción en el promedio de la presión arterial en una población grande —tal vez sólo 2 mm Hg en la presión— puede llevar a importantes resultados positivos para la salud general y el bienestar de tal población.

La *American Heart Association, la American Medical Association* y varias agencias gubernamentales de Estados Unidos continúan vigilando la información científica acerca del sodio y la presión arterial. Sus posturas apoyan limitar el sodio como una manera razonable y segura para una buena salud.

Una cosa que los estudios DASH y otras investigaciones aclaran es que limitar el sodio funciona mejor en el contexto de una dieta saludable en general. Varios aspectos de la dieta pueden afectar la presión arterial. Por ejemplo, perder peso y comer una dieta saludable —combinado con una ingesta baja de sodio— son más eficaces en el manejo de la presión arterial alta que limitar el sodio solamente.

Recomendaciones actuales

El *National High Blood Pressure Education Program*, patrocinado por los *National Institutes of Health* de Estados Unidos recomienda que todas las personas, incluyendo niños y adolescentes, limiten el sodio a menos de 2 400 mg al día. Esto es equivalente a lo que contiene aproximadamente una cucharadita de sal.

Si tiene hipertensión, el médico podría, incluso recomendar comer menos sodio. Asegurarse de obtener suficiente potasio ayudará más a controlar los niveles de sodio.

Muchos profesionales y organizaciones de salud, incluyendo a la Clínica Mayo, apoyan una dieta con menos sodio. Éste es el motivo:
- Si existe presión arterial alta, reducir el sodio puede reducir la presión arterial. Limitar el sodio en combinación con otros cambios en el estilo de vida puede ser suficiente para evitar tomar medicamentos para controlar la presión arterial.
- Si se toman medicamentos para la presión arterial, limitar el sodio puede ayudar a aumentar

Aditivos alimenticios con sodio

Estos compuestos que contienen sodio se agregan con frecuencia a los alimentos durante el procesamiento y su preparación.

- **Polvo para hornear.** Una mezcla de bicarbonato de sodio, almidón y ácido utilizada para levar de forma rápida panes y pasteles.

- **Bicarbonato de sodio.** Algunas veces utilizado para agregar levadura a panes y pasteles; algunas veces se agrega a vegetales cuando se cocinan; se utiliza como alcalinizante para la indigestión.

- **Fosfato disódico.** Presente en algunos cereales de cocinado rápido y quesos preocesados.

- **Glutamato monosódico (MSG).** Realza el sabor. Es utilizado en la cocina en casa y restaurantes, y en muchos alimentos empacados, enlatados y congelados.

- **Sal (cloruro de sodio).** Utilizado en la cocina y en la mesa; se usa en el enlatado y la conservación.

- **Alginato de sodio.** Utilizado en muchas leches de chocolate y helados para hacer una mezcla homogénea.

- **Benzoato de sodio.** Utilizado como conservador en muchos condimentos, como aderezos agridulces, salsas y aderezos de ensaladas.

- **Hidróxido de sodio.** Utilizado en el procesamiento de alimentos para ablandar y desprender la piel de aceitunas maduras y ciertas frutas y verduras.

- **Nitrato de sodio.** Utilizado en carnes curadas y chorizos.

- **Propionato de sodio.** Utilizado en el queso pasteurizado y en algunos panes y pasteles para inhibir el crecimiento de moho.

- **Sulfito de sodio.** Utilizado para decolorar ciertas frutas como las cerezas maraschino y frutas glaseadas o cristalizadas que se van a colorear artificialmente; utilizado como conservador en algunas frutas secas, como las ciruelas pasas.

Fuente: American Heart Association, Sodium and Blood Pressure, © 1996.
Reimpreso con autorización.

la efectividad del medicamento. Incluso si se está tomando un diurético, es importante reducir el sodio en la dieta.

- Si está en riesgo de hipertensión, limitar el sodio y hacer otros cambios de estilo de vida podría prevenir su desarrollo.
- Si no tiene presión arterial alta, limitar el sodio es todavía una acción segura y razonable. Además, podría reducir su riesgo de presión arterial alta conforme aumenta la edad.

Muchos médicos dicen que limitar la ingesta de sal debería empezar en la infancia, para ayudar a prevenir los problemas relacionados con la presión arterial que pueden empezar desde los 10 años.

El reto de comer menos sal

Si el médico o el nutriólogo le ha sugerido que reduzca el sodio para disminuir la presión arterial, es un consejo que debe seguir. Incluso si no le han dicho que reduzca el sodio, trate de moderar la cantidad que come cada día.

Por supuesto, esto es más fácil de decir que de hacer. La investigación muestra que reducir la sal en la dieta es notoriamente difícil. La sal hace que el alimento sepa bien y actúa como un conservador.

Muchos médicos creen que el problema real no es el sobreuso del

salero, sino la sal oculta agregada a los alimentos procesados. Más de tres cuartos de la sal que la gente consume proviene de alimentos procesados en lugar de la sal agregada en la mesa.

Muchos alimentos preparados comercialmente, bocadillos, comidas rápidas y alimentos de restaurante contienen mucho más sodio del necesario. Por ejemplo, una ración de sopa de pollo enlatada podría tener cerca de 1 100 mg de sodio, mientras que un panecillo dulce con relleno de queso podría tener 750 mg. Conforme los consumidores confían más en los alimentos procesados y listos para comerse, la responsabilidad del sodio cae más y más en la industria alimenticia.

Por esta razón, algunos médicos están enfatizando que la salud pública debe ocuparse de la reducción de la ingesta de sal, además de abogar por cambios en la conducta individual.

La *American Medical Association* (AMA) y la *American Public Health Association* han llamado a las compañías de alimentos y restaurantes a que voluntariamente limiten los niveles de sodio en los alimentos a 50 por ciento para 2016. La AMA desea que la *Food and Drug Administration* de Estados Unidos requiera que las etiquetas de alimentos porten advertencias de cualquier alimento que contenga más de 480 mg de sodio por ración.

Cómo interpretar las etiquetas

Encontrará términos relacionados con el sodio en muchos alimentos. Esto es lo que significan:

- **Libre de sodio o libre de sal.** Cada ración en este producto contiene menos de 5 mg de sodio.
- **Muy bajo en sodio.** Cada ración contiene 35 mg de sodio o menos.
- **Bajo en sodio.** Cada ración contiene 140 mg de sodio o menos.
- **Reducido o con menos sodio.** El producto contiene por lo menos 25 por ciento menos de sodio que la versión regular.
- *Lite* o *light* **en sodio.** El contenido de sodio se ha reducido por lo menos 50 por ciento de la versión regular.
- **Sin sal o sin sal agregada.** No se agregó sal durante el procesamiento de un alimento que normalmente contiene sal. Sin embargo, algunos alimentos con estas etiquetas podrían todavía tener un alto contenido en sodio.

No se deje engañar: los alimentos etiquetados como "reducidos en sodio" o "*light* en sodio" podrían todavía contener mucha sal. Si el producto regular es rico en sodio, reducirlo 25 o 50 por ciento podría hacer una diferencia muy pequeña. Por ejemplo, la sopa de tallarines con pollo enlatada regular contiene cerca de 1 100 mg de sodio por taza, mientras que la versión reducida en sodio podría tener todavía 820 mg por taza. ¿Conclusión? Lea las etiquetas con cuidado.

Sazonar

Es fácil hacer que una comida sepa bien sin usar sal. Intente estas sugerencias con hierbas, especias y saborizantes para aumentar el sabor de varios alimentos. Éste es un consejo extra: ponga hierbas secas en un poco de líquido unos minutos antes de agregarlos a la receta para ayudar a liberar el sabor.

Carne, pollo, pescado

Res	Hojas de laurel, mostaza seca, rábano, mejorana, nuez moscada, cebolla, pimienta, salvia, tomillo.
Pollo	Albahaca y jitomates, eneldo, jengibre, orégano, pimentón, perejil, romero, salvia, estragón, tomillo.
Pescado	Hojas de laurel, curry en polvo, eneldo, mostaza seca, jugo de limón, pimentón.
Cordero	Arándano agrio, curry en polvo, ajo, romero.
Cerdo	Arándano agrio, ajo, cebolla, orégano, pimienta, salvia.
Ternera	Hojas de laurel, curry en polvo, jengibre, orégano.

Vegetales

Brócoli	Jugo de limón, orégano.
Zanahorias	Canela, miel, nuez moscada, jugo de naranja, romero, salvia.
Coliflor	Nuez moscada, estragón.
Maíz	Cebollín, comino, tomates frescos, pimienta verde, pimentón, perejil.
Ejotes	Eneldo, jugo de limón, nuez moscada, estragón, aderezo francés sin sal.
Chícharos	Menta, cebolla, perejil.
Papas	Eneldo, ajo, pimienta verde, cebolla, perejil, salvia.
Tomates	Albahaca, eneldo, cebolla, orégano, perejil, salvia.

Sopas con bajo contenido de sodio

Cremas	Hojas de laurel, eneldo, pimentón, granos de pimienta, estragón.
Vegetales	Albahaca, hojas de laurel, curry, eneldo, ajo, cebolla, orégano.

Otros

Palomitas de maíz	Curry, ajo en polvo, cebolla en polvo.
Arroz	Albahaca, comino, curry, pimienta verde, orégano.
Ensaladas	Albahaca, eneldo, jugo de limón, perejil, vinagre.

¿Cuánto tiempo tardaré en dejar de sentir antojo de sal?

Tomará varias semanas a varios meses para que el gusto se ajuste por completo al sabor de la comida preparada con menos sal. Pero si persevera, la comida muy salada pronto empezará a saber mal. Los sustitutos de sal podrían ayudar a ir reduciendo la sal, pero se deben usar con precaución (véase la página 113).

Éste es otro ejemplo de dieta: para reducir la ingesta de grasa, muchas personas han cambiado de la leche entera a la leche descremada. Cuando hacen por primera vez el cambio, la leche descremada probablemente parece insípida y aguada. Pero conforme se ajustan a ella, encuentran que los productos de leche entera empiezan a parecer muy espesos y pesados.

Las autoridades de salud pública sugieren que, al reducir lentamente la sal en los alimentos procesados, las personas se ajustarán al menor sabor a sal. Esta práctica está ya en camino en países como Inglaterra.

Limitar la ingesta de sodio es un reto, pero pequeños cambios pueden traer resultados positivos. Conforme se reduce el uso de sal, de manera gradual, las papilas gustativas tendrán tiempo para ajustarse y la preferencia por el sodio se reducirá, lo cual permitirá que se disfrute el sabor de la comida en sí. La mayoría de las personas encuentran que a las pocas semanas después de haber reducido la sal, ya no la echan de menos.

Los siguientes pasos pueden ayudar a reducir la cantidad de sal y sodio en la dieta.

Coma más alimentos frescos. Los productos frescos como las frutas y verduras contienen, de manera natural, menos sodio que los alimentos procesados. Los vegetales y jugos enlatados que se llevan a casa de la tienda tienen sal agregada.

La carne fresca tiene menos sodio que las carnes ahumadas o curadas, como las carnes frías, tocino, salchichas, chorizo y jamón. Estos alimentos tienen sodio agregado para darle sabor y para ayudar a que se conserven. Algunas carnes frescas también tienen sal inyectada dentro y se pueden etiquetar como "Sabor resaltado con solución salina". Revise la etiqueta de "Información nutricional" y evite carnes con más de 200 mg de sodio por ración.

Las sopas, comidas congeladas, salsas, mezclas y otros productos instantáneos tienen sal agregada. Los bocadillos como las papas fritas, totopos, pretzels, palomitas, galletas y nueces a menudo tienen una gran cantidad de sal agregada. Es mejor comerlos en pequeña cantidad. Elija frutas frescas y verduras crudas para botanear, y compre nueces y semillas sin sal.

Elija productos con bajo contenido en sodio. Algunos alimentos procesados que tienen alto contenido en sodio también están preparados en versiones con poco sodio, a menudo etiquetados como "bajos en sal" o "bajos en sodio". Éstos incluyen sopas, caldos, verduras enlatadas, carnes magras procesadas, cátsup y salsa de soya. Sólo porque un alimento tenga bajo contenido en grasa o calorías no significa que tenga poco sodio. Algunas veces se agrega sodio extra a los productos de bajo contenido graso para aumentar el sabor.

Lea las etiquetas. La etiqueta de "Información nutricional" le dice cuánto sodio hay en cada ración. Elija alimentos con menos de 200 mg de sodio por ración. Por lo general cualquier producto con 5 por ciento del valor diario de sodio por ración es bajo y uno de 20 por ciento es alto.

Algunos medicamentos de venta sin receta contienen grandes cantidades de sodio. Estos incluyen algunos antiácidos, alcalinizantes, laxantes y medicamentos para la tos. Si usa estos productos con frecuencia, revise la etiqueta o pregunte al farmacéutico acerca del contenido de sodio.

No agregue sal cuando cocine. Cocine arroz, pasta y cereales calientes sin agregar sal. Elimine la sal de las recetas siempre que sea posible —una pizca de sal contiene 1/8 de cucharadita (300 mg) de sodio—. Puede combinar un producto sin sal con un producto regular en algunas recetas. Por ejemplo, si la receta tiene 500 mL de puré de tomate, use 250 mL de puré sin sal y 250 mL de puré regular.

No agregue sal en la mesa. No ponga sal antes de probar la comida. Si piensa que la comida necesita más sabor, intente otro sazonador, como el limón, la pimienta o una mezcla de hierbas sin sodio. Si tiene una mezcla para sazonar favorita que contenga sal, observe los ingredientes para ver qué le da sabor además de la sal e intente encontrar una alternativa. Por ejemplo, use ajo o cebolla en polvo en lugar de sal de ajo o de cebolla.

Enjuague los alimentos enlatados. Enjuagar las verduras enlatadas y las carnes ayuda a eliminar algo del sodio; sin embargo, no debe pensarse que es una manera importante de reducir el sodio en la dieta. De hecho, sólo elimina cerca de un tercio del sodio. Es mejor usar verduras frescas o congeladas.

Limite el uso de condimentos. Los aderezos de ensalada, salsas, dips, cátsup, mostaza y ciertos condimentos contienen una alta cantidad de sodio, al igual que los encurtidos y las aceitunas. Déle sabor a sus comidas con hierbas, especias, ajo en polvo, cebolla en polvo, pimienta, cátsup sin sal, mostaza, salsa barbecue, jugo de limón, extractos de sabor, vinagre, rábano preparado y vino de mesa (no vino para cocinar).

Acerca de los sustitutos de la sal. Antes de probar un sustituto de sal, revise con el médico. Algunos contienen una mezcla de cloruro de sodio (sal) y otros componentes. Para lograr el sabor familiar a sal, podría terminar usando más del sustituto de sal de lo que usaría de sal regular.

Además, el cloruro de potasio es un ingrediente común en los sustitutos

de sal y algunos productos "bajos en sodio" como el caldo o consomé. Demasiado potasio puede ser dañino si hay problemas de riñón o si está tomando ciertos medicamentos, como los diuréticos ahorradores de potasio, para tratar la hipertensión o la insuficiencia cardiaca.

Elimine la sal de las carnes *kosher.* Para hacer *kosher* la carne (limpiarla) sin usar sal, ase la carne en un recipiente plano que permita que los jugos se evaporen. Para eliminar la sal en las carnes *kosher*, coloque la carne cruda en una olla grande llena de agua fría y póngala a hervir. Después retire la olla del fuego y drene el agua. La mayoría de la sal se eliminará.

La guía del sodio

La siguiente guía está hecha para complementar la dieta DASH. Presenta alimentos que tienen bajo contenido en sodio y se pueden comer con frecuencia.

Granos enteros y almidones
- Pan, rollos y cereales de grano entero con menos de 200 mg de sodio en una ración.
- Panes como los panqués o los bísquets hechos de recetas caseras que no usan suero de mantequilla y llevan poco o nada de sal.
- Papas, arroz y pasta.
- Palomitas, pretzels, papas fritas y galletas sin sal.
- Sopas, consomés y caldos enlatados con bajo contenido en sodio.

Verduras
- Verduras frescas, congeladas sin sal o enlatadas con poca sal.
- Jugo de tomate y jugo de verduras sin sal agregada o con bajo contenido en sodio.
- Productos de tomate enlatados sin sal agregada.

Frutas
- Frutas frescas y congeladas y frutas enlatadas en jugo o en agua.

Lácteos
- Leche sin grasa o con bajo contenido en grasa, queso cottage y yogur.
- Quesos reducidos en grasa con menos de 200 mg de sodio por cada 30 g.

Limite (2-3 veces a la semana):
- Queso cottage regular y queso natural añejo como el queso duro, Monterrey Jack y cheddar.

Bebidas

- Agua embotellada y bebidas con menos de 70 mg de sodio en una ración.
- Agua del grifo (el contenido de sodio varía según el lugar).

Limite (1-2 raciones al día):

- Bebidas alcohólicas.
- Café o té.
- Cocoa (hecha con polvo de cocoa).

Carnes magras, pollo y pescado

- Carne o pollo fresco o congelado sin sal o solución salina agregadas.
- Pescado fresco o congelado y mariscos (sin empanizar y que no esté empaquetado en salmuera o con sodio agregado).
- Atún u otro marisco enlatado en agua; salmón enlatado sin sal agregada.
- Claras de huevo.

Limite (2-3 veces a la semana):

- Atún enlatado y otros mariscos empaquetados con 50 a 60 por ciento menos sal de lo usual.
- Carnes y quesos procesados reducidos en sodio.
- Langosta y cangrejo.

Platillos principales

- Platillos y sopas caseros sin sal agregada o verduras enlatadas como ingredientes.
- Comidas congeladas o para microondas que tienen menos de 600 mg de sodio en una comida.

Nueces, semillas y leguminosas

- Mantequilla de cacahuate baja en sodio o sin sal agregada.
- Nueces y semillas sin sal.
- Chícharos secos, frijoles y lentejas.

Grasas y aceites *(usar en poca cantidad)*

- Aceite, margarina o mantequilla.
- Aderezos de ensalada con menos de 200 mg de sodio en una ración.
- Mayonesa y salsa sin sal.
- Queso crema y crema ácida.

Postres y dulces *(usar en poca cantidad)*

- Postres caseros, pudín cocido y mezclas con menos de 200 mg de sodio por ración.
- Fruta fresca, gelatina, raspado de fruta, sorbete, pastel simple, merengue, helado y yogur congelado.
- Jaleas, mermeladas, miel, caramelos macizos y gelatinas.

Una propuesta fresca para las compras

El éxito con la dieta DASH empieza con los alimentos que se compran. Cuando esté de compras, piense en fresco y no procesado. Trate de gastar la mayor parte del tiempo en la sección de productos frescos, en donde pueda abastecerse de frutas y verduras. Estos son otros consejos para unas compras más saludables con la dieta DASH en mente:

Planee. Decida las comidas que va a hacer durante la siguiente semana y escriba los ingredientes que necesita en una lista de despensa. No olvide lo que necesita para el desayuno y las colaciones. Incluya abundantes frutas, verduras, panes y cereales de grano entero en su lista. Considere las leguminosas como las lentejas y los frijoles como la fuente de proteína.

Compre productos frescos. Los alimentos frescos por lo general son mejores que los que están listos para comerse debido a que así puede controlar los ingredientes que le pone a las comidas. Los alimentos frescos por lo general tienen más sabor, color y vitaminas que promueven la salud, minerales y fibra que sus contrapartes empaquetadas. Note que los alimentos más frescos y saludables tienden a estar localizados alrededor del perímetro del supermercado.

¿Cómo planeo un menú semanal?

Establezca un tiempo a la semana para planear menús para los siguientes siete días. De esta manera, tendrá todos los ingredientes a la mano antes de empezar a preparar los alimentos. Si sabe cuántas calorías debe comer cada día, las recomendaciones de raciones para cada grupo de alimentos guiarán sus decisiones.

- Mantenga menús prácticos y sencillos. Pero al mismo tiempo no excluya buen sabor y diversión. Recuerde que necesita disfrutar las comidas junto con una alimentación más saludable. Está bien incluir los alimentos favoritos, pero podría necesitar adaptar las recetas para hacerlas más saludables.
- Busque el equilibrio. Trate de incluir, por lo menos, una ración de la mayoría de los grupos de alimentos en casi todas las comidas.
- No haga de la carne el grupo principal. Constituya la mayor parte de las comidas alrededor de las frutas y verduras, además del arroz, pastas y otros granos.
- Sea flexible. No se obsesione con el total exacto de raciones diarias. Si un día no logra su meta de raciones de fruta, puede agregar una ración extra para el siguiente día.

No compre con el estómago vacío. Es difícil resistir el paquete brillante y los olores tentadores de muchos bocadillos. Para reducir la tentación, vaya de compras después de comer bien. Si se encuentra hambriento cuando está de compras, compre una pieza de fruta fresca para masticar mientras está en la tienda.

Lea las etiquetas. Tome tiempo para leer las etiquetas alimenticias de los productos antes de comprarlos. Las etiquetas le informan acerca de cuáles productos son saludables, y lo alertan acerca de cuáles no lo son tanto. También le pueden ayudar a comprar los ingredientes de alimentos similares y seleccionar los que son más nutritivos.

Cómo leer las etiquetas de alimentos

Por más de una década, los productos empaquetados vendidos en Estados

Información nutricional

Tamaño de la ración 1 taza (53 g)
Raciones por paquete Aproximadamente 8

Cantidad por ración

Calorías 190	Calorías provenientes de la grasa 25
	% valor diario*
Grasa total 3g	**5%**
Grasa saturada 0 g	**0%**
Grasas *trans* 0 g	
Colesterol 0 mg	**0%**
Sodio 95 mg	**4%**
Potasio 300 mg	**9%**
Carbohidratos totales 36 g	**12%**
Fibra dietética 8 g	**32%**
Azúcares 13 g	
Proteína 9 g	**18%**
Vitamina A	**0%**
Vitamina C	**0%**
Calcio	**4%**
Hierro	**10%**

* Los Porcentajes de valor diario están basados en una dieta de 2 000 calorías. Los valores diarios pueden ser más altos o más bajos dependiendo de sus necesidades calóricas.

	Calorías:	2 000	2 500
Grasa total	Menos de	65 g	80 g
Grasa saturada	Menos de	20 g	25 g
Colesterol	Menos de	300 mg	300 mg
Sodio	Menos de	2 400 mg	2 400 mg
Carbohidratos totales		300 g	375 g
Fibra dietética		25 g	30 g

Ejemplo de una etiqueta de alimentos

Este ejemplo provee un desglose de calorías, grasa, carbohidratos, proteína, vitaminas y minerales en una sola porción.

Unidos han portado la etiqueta de Información nutricional. Las etiquetas brindan información valiosa que le ayuda a incluir diferentes tipos de alimentos en su plan de alimentación. Estas etiquetas pueden ser confusas al principio, pero, una vez que aprenda cómo interpretarlas, le facilitarán planear sus comidas y comparar las compras.

Cada etiqueta de "Información nutricional" contiene información con base en una sola ración del contenido. Esta información incluye:

Tamaño de la ración. La etiqueta indica la cantidad que se considera una sola ración y cuántas raciones contiene el envase. Si come más o menos de lo que indica la ración, necesitará ajustar la información de calorías y nutrientes de acuerdo a ello.

Calorías provenientes de la grasa. Esta información le permite sumar la cantidad de grasa que come y comparar el contenido de grasa de diferentes productos. Trate de limitar la grasa a cerca de 65 gramos al día. Esta cantidad mantiene la grasa al nivel recomendado —menos de 30 por ciento de las calorías diarias, con base en una dieta de 2 000 calorías—.

Porcentaje del valor diario. Estos porcentajes indican cuánto de las cantidades diarias recomendadas están en una ración de alimento, con base en una dieta de 2 000 calorías. En el ejemplo de la etiqueta, una ración brinda 300 mg de potasio, o 9 por ciento del valor diario.

Para la grasa, la grasa saturada y el colesterol, elija alimentos con un bajo "Porcentaje del valor diario".

Para los carbohidratos, la fibra, las vitaminas y los minerales intente alcanzar un valor más alto del "Porcentaje del valor diario".

Sodio. La mayor parte del sodio que consumen los estadounidenses proviene de alimentos procesados, por ello es importante elegir alimentos con menos de 200 mg de sodio en una ración, o menos de 8 por ciento del valor diario. Esta etiqueta de información nutricional es un buen ejemplo, pero no siempre es fácil encontrar productos con contenido bajo en sodio.

Cómo comer de manera inteligente para controlar el peso

Si tiene sobrepeso, perder incluso algunos kilos puede mejorar la presión arterial. Perder peso trae otros beneficios de salud también, como reducir el riesgo de diabetes y enfermedad cardiaca.

El método más exitoso para perder peso es cambiar los hábitos de alimentación y de actividad y adelgazar gradualmente. Se puede lograr esto con el plan de alimentación DASH y un programa de ejercicio regular. Se puede modificar el plan para reducir los niveles de calorías.

Sólo porque la tarea podría parecer desalentadora no significa que no deba intentarla —y seguir intentando controlar el peso—. Muchas personas han cambiado exitosamente sus hábitos de alimentación y actividad para mantener la pérdida de peso.

Los esfuerzos pueden dar resultado durante toda la vida. Perder peso no sólo reduce la presión arterial, sino que los estudios también han mostrado que el efecto puede durar por muchos años conforme se mantenga la pérdida de peso.

Un poco puede significar mucho

¿Qué es un peso saludable? No es esencial que se ponga delgado. Pero puede intentar lograr o mantener un peso que mejore la presión arterial y también disminuya los riesgos de otros problemas de salud.

Perder tan poco como 5 kg podría reducir la presión arterial a un nivel más saludable. Si tiene sobrepeso, reducir 5 a 10 por ciento de su peso podría ser una buena meta. Una vez que haya logrado tal meta, puede tratar otro 5 a 10 por ciento si necesita perder más peso. Con el tiempo, estas pérdidas pueden agregarse y contribuir a una significativa mejoría en su salud.

La dieta DASH y la pérdida de peso

Si está planeando perder peso probablemente necesitará consumir menos calorías de las que consume ahora (y quemar más calorías por medio del ejercicio).

Para reducir el plan estándar de la dieta DASH de un nivel de calorías de 2 100 a 1 600 al día, use estos lineamientos de raciones:

Grupos de alimentos	Raciones diarias
Granos enteros	6
Vegetales	3 a 4
Frutas	4
Leche y productos lácteos sin grasa o con poca grasa	2 a 3
Carnes magras, pollo, pescado	3 a 6
Nueces, semillas, leguminosas	3 a la semana
Grasa y aceites	2
Dulces y azúcares agregados	0

Fuente: National Heart, Lung and Blood Institute, DASH Eating Plan, 2006.

Para reducir las calorías de la dieta DASH, empiece por reemplazar los alimentos con más calorías por más frutas y verduras. Esto también ayuda al control de la presión arterial. Éstas son otras formas de reducir las calorías del plan de alimentación.

- Ponga atención en la densidad de energía. Algunos alimentos contienen muchas calorías en una porción pequeña —son densos en energía—. Otros alimentos, como las frutas y las verduras tienen menos calorías en un volumen mayor. Cuando elija alimentos que tengan una densidad energética baja, puede comer más mientras consume menos calorías.
- Prepare estofados, guisados y alimentos sin freír con la mitad de la carne que contiene la receta, adicionando verduras extra o tofu en su lugar. Por ejemplo, en lugar de 150 g de pollo, prepare un guisado con 60 g de pollo y 1 $^1/_2$ taza de verduras. Use una pequeña cantidad de aceite vegetal.
- Use condimentos sin grasa o con poca grasa.
- Limite los alimentos con azúcar agregada, como las barras de dulce, pay, yogur de sabor, refrescos regulares y helado.
- No olvide las calorías contenidas en las bebidas, incluyendo jugo, alcohol y café con leche, azúcar, cocoa o crema batida.
- Saltee cebollas, champiñones u otros vegetales en una pequeña cantidad de agua en lugar de mantequilla o aceite.

Cómo calcular las calorías

Ésta es una forma sencilla para calcular cuántas calorías puede comer al día y perder un promedio de 500 gramos a la semana:

$$\underline{\hspace{4cm}} \times 22 = \underline{\hspace{3cm}}$$
(peso actual en kilogramos)   (calorías diarias)

o

$$\underline{\hspace{4cm}} \times 10 = \underline{\hspace{3cm}}$$
(peso actual en libras)   (calorías diarias)

Use este nivel de calorías como su objetivo diario.

• Ase, hierba, cocine a la parrilla o saltee en muy poco aceite los alimentos en lugar de freírlos.

Cómo comer bien cuando esté fuera

Un viaje al restaurante puede ser un campo minado de tentaciones. La vista y el aroma de los alimentos tientan los sentidos. Las mejores intenciones se desmoronan ante el menú que le llama.

De hecho, se *puede* comer nutritivo fuera de casa. Necesita ser más inteligente con el menú para hacer elecciones saludables. Además, debe tomar conciencia de dos retos comunes de comer fuera de casa: la urgencia para ordenar más comida de la que necesita y el impulso de comer todo lo que contiene su plato, incluso cuando el tamaño de las raciones es demasiado grande.

Cuando una entrada es más grande de lo que desea —lo cual es más frecuente que pase— pregunte si puede tomar la porción equivalente a un almuerzo, incluso cuando esté cenando. También puede pedir un paquete para llevar a casa cuando le sirvan la comida. O podría pedir un aperitivo como entrada o compartir la comida con un acompañante.

Calorías escondidas se refiere a las calorías extra agregadas a muchos platillos que provienen de ingredientes que podrían pasar desapercibidos. Éste es el motivo por el cual son un problema cuando se está intentando perder peso.

Los ingredientes a menudo se agregan para aumentar el sabor, color o textura de alimentos —por ejemplo, sazonadores, salsas o aderezos—. Y algunas veces son parte del proceso de preparación— por ejemplo, aceite o mantequilla para cocinar—. Estas calorías se adicionan en formas sutiles.

Qué ordenar

Cuando revise el menú de un restaurante, use estos lineamientos para ayudar a mantener su plan de alimentación en la mira:

Aperitivos. Elija aperitivos con verduras frescas, fruta o pescado. Evite las opciones fritas o empanizadas.

Sopa. Es mejor que evite la sopa y elija fruta o ensalada. Las sopas a base de caldos o tomate a menudo tienen alto contenido de sodio. Las sopas de crema, potajes, sopas de puré y algunas sopas de frutas contienen mucha crema y yemas de huevo y también pueden tener mucho sodio.

Ensalada. Ordene una ensalada de lechuga o de espinacas con el aderezo al lado, y limítese a una cucharada de aderezo. Pruebe el aceite de oliva con vinagre para acompañar la ensalada. Las ensaladas César y las ensaladas del chef tienen alto contenido de grasas, colesterol y sodio. Las ensaladas de tacos no son buenas opciones porque contienen ingredientes ricos en grasa y sodio como el queso, guacamole, carne molida de res y tortillas fritas.

Pan. Si le ofrecen un canasto de pan, elija pan, rollos, barras de pan o *bagels* de grano entero. Cómalos solos o con un poco de miel, mermelada o jalea. Estas opciones sin grasa aportan pocas calorías cuando se usan en poca cantidad Los *muffins*, pan tostado de ajo, y *croissants* tienen más grasa. Las galletas pueden tener alto contenido en sodio y grasa.

Platillo principal. Busque platillos con descripciones que indiquen contenido bajo en grasa, como carne de res o pechuga de pollo a la parrilla, pescado horneado o escalfado, o brochetas a la parrilla de carne de res o pollo.

Evite alimentos con descripciones que indiquen alto contenido graso, como las costillas de res, parmigiana de ternera, camarones rellenos, pollo frito, filete mignon con salsa bearnaise, vegetales con crema y salsas de crema.

Si no está seguro de cuánta grasa hay en la salsa, pida que se la pongan al lado de manera que pueda controlar la cantidad que agrega.

Guarnición. Elija papa horneada, papas hervidas, verduras al vapor, arroz o fruta fresca en lugar de papas *Hash brown*, alimentos fritos, papas al horno, papas fritas, aros de cebolla, o ensaladas con mayonesa como la ensalada de papa. Pida que no le pongan mantequilla, margarina o sal a su platillo.

Condimentos. Elija opciones como tomates frescos, pepino y lechuga para los sándwiches. Evite las aceitunas, encurtidos y chucrut , y use cátsup, mostaza y mayonesa en pequeña cantidad.

Postres. Elija fruta fresca, frutas escalfadas con especias, pastel simple con puré de fruta, o sorbete.

Alcohol. El alcohol contiene muchas calorías. El excesivo consumo de alcohol puede también elevar la presión arterial. Si elige consumir alcohol, limite la cantidad a una copa al día si es mujer y una o dos copas si es varón. La relación del alcohol con la hipertensión se discute con mayor detalle en el Paso 3 de este libro.

Comer fuera no es un momento para olvidar todo lo que sabe acerca de elegir alimentos saludables. De hecho, comer fuera puede ser un gran momento para intentar diferentes cocinas. Pero los mismos principios de alimentación se aplican a sus decisiones.

Muchos restaurantes brindan opciones saludables. Algunos restaurantes incluso reservan una sección especial de su menú para comida más saludable. Muchos restaurantes cumplirán con solicitudes especiales para preparar un alimento con menos grasa y sodio.

No pierda la perspectiva

Si las múltiples sugerencias de este capítulo parecen agobiantes, recuerde que comer bien no es una proposición de todo o nada. Cada alimento que consume no tiene que ser perfecto. La perfección no es la meta —ser persistente en su propósito de comer saludablemente es lo más importante—.

Con el tiempo, este enfoque para comer bien se convertirá en un hábito que le ayudará a manejar la presión arterial alta, mejorar la salud, controlar el peso y también sentirse mejor consigo mismo.

Recordatorio

Puntos clave a recordar:

- Una dieta saludable puede reducir la presión arterial tanto como algunos medicamentos.
- La dieta DASH puede ayudar a reducir la presión arterial al promover las verduras, frutas y productos de grano entero. La dieta es de bajo contenido en sodio y grasa y de alto contenido en minerales como potasio, calcio y magnesio.
- El sodio puede aumentar, de manera significativa, la presión arterial si existe sensibilidad al sodio.
- Tenga presión arterial alta o no, limitar el sodio a menos de 2 400 mg al día es razonable y seguro.
- La presión arterial generalmente aumenta con el incremento de peso y disminuye con la pérdida de peso. Perder tan poco como 5 kg puede ayudar a reducir la presión arterial.
- La mejor propuesta para perder peso lenta y constantemente se basa en consumir alimentos nutritivos y tener actividad física regular.

Practicar ejercicio de manera regular

Ser físicamente activo, junto con una dieta saludable, es vital para la reducción y control de la presión arterial. La actividad regular puede reducir la presión arterial en casi la misma cantidad que los medicamentos antihipertensivos.

De manera contraria, una razón por la cual la hipertensión es tan común puede ser que las personas no son lo suficientemente activas. Las comodidades modernas y la menor disponibilidad de tiempo libre han originado que las personas se vuelvan cada vez más sedentarias.

De acuerdo con los datos de la *National Health Interview*

Survey (2005), sólo 24 por ciento de los estadounidenses mayores de 18 años participan en tres o más periodos (de 10 minutos o más) de actividad física vigorosa en su tiempo libre a la semana. Y 62 por ciento de los estadounidenses no practican ninguna actividad física en su tiempo libre.

Usar la actividad física para ayudar a reducir la presión arterial no significa pasar largas horas en el gimnasio. No es necesario vivir bajo el adagio de "Sin dolor, no sirve" presionándose a sí mismo a sus límites de resistencia. Es suficiente que permanezca comprometido y haga un esfuerzo para incluir a la actividad física en su rutina de vida diaria.

La actividad moderada puede ser muy favorable para la salud cardiovascular y para la salud en general. Un elemento clave para recibir estos beneficios es que se ejercite con regularidad. Una manera de hacer esto es encontrar actividades que sean interesantes y agradables.

Beneficios de la actividad regular

La actividad física es importante para controlar la presión arterial porque hace que el corazón sea más fuerte. Por esta razón, el corazón es capaz de bombear más sangre con menos esfuerzo. Y mientras más eficiente sea el corazón para bombear sangre, menos fuerza necesitará ejercerse en las arterias.

La actividad física regular puede reducir la presión arterial 5 a 10 milímetros de mercurio (mm Hg). Si está en riesgo de hipertensión, esto es suficiente para evitar que la condición se desarrolle. Si tiene hipertensión, una ligera reducción podría ser suficiente para evitar que tome medicamentos. Si está tomando medicamentos, es suficiente para hacer que funcionen con mayor eficacia.

Ser físicamente activo puede mejorar la salud en varias formas. Además de ayudar a controlar la presión arterial, la actividad regular también reduce el riesgo de ataque cardiaco, colesterol alto, diabetes, osteoporosis y algunos cánceres. Brinda más energía, mejora el estado de ánimo, y ayuda a dormir mejor y a manejar el estrés.

Además, la actividad regular ayuda a promover la pérdida de peso. Cuando se aumenta de peso, la presión arterial a menudo se incrementa. Y cuando se pierde peso, la presión arterial disminuye. El método más exitoso para perder peso incluye actividad regular de intensidad moderada la mayor parte de la semana.

Actividad física frente a ejercicio

Los términos *actividad física* y *ejercicio* están estrechamente relacionados —y a menudo se superponen— pero hay una diferencia. La actividad física se refiere a cualquier movimiento del cuerpo que queme calorías, como barrer las hojas o llevar al perro a caminar. El ejercicio es una forma más estructurada de actividad física. Por lo general incluye movimientos repetitivos que fortalecen o desarrollan una parte del cuerpo y mejoran la condición cardiovascular. El ejercicio incluye caminar, nadar y andar en bicicleta.

Por lo tanto, el ejercicio es una forma de actividad física, pero no toda la actividad física se ajusta a la definición de ejercicio. De cualquier forma, las buenas noticias son que se pueden ganar muchos beneficios de salud por medio de la actividad física regular, incluso si no tiene una forma estructurada y repetitiva.

Actividad frente a intensidad

Por muchos años, la creencia fue que se tenía que ejercitar vigorosamente para estar físicamente en forma y para mejorar la salud. Como resultado, las personas desarrollaron una actitud de todo o nada frente al ejercicio. Y esto llevó a un alto índice de abandono.

Sin embargo los estudios muestran que la actividad ligera es también buena para la presión arterial y la salud en general —y definitivamente es mejor que no hacer nada—.

En 2002, el *Department of Health and Human Services* presentó lineamientos urgiendo a las personas a tomar parte en la actividad física regular. Estos lineamientos recomiendan mínimo una de las siguientes opciones:

- 30 a 60 minutos de actividad moderada, por lo menos cinco días a la semana.
- 20 minutos de actividad vigorosa, por lo menos tres veces a la semana.

Además de las actividades recreativas comunes, como caminar, andar en bicicleta y bailar, los nuevos lineamientos promueven actividades de rutina como cortar el césped, arreglar el jardín, lavar el coche, limpiar la casa y subir las escaleras.

Una actividad no tiene que condensarse en un bloque de tiempo en una agenda ocupada. El efecto acumulativo de la actividad física a lo largo del día es lo que importa.

Por ejemplo, dar un paseo corto en bicicleta en la mañana, usar las escaleras en lugar del elevador en el trabajo, y pasar tiempo trabajando en el jardín en la tarde pueden agregarse para ser el equivalente de una sola sesión de entrenamiento en el gimnasio. Todo esto lleva a una mejor salud.

Sin embargo, no todos los tipos de actividad diaria cuentan. La actividad debe ser moderadamente intensa, lo cual podría significar que la respiración se acelere y que se sienta que el corazón late un poco más rápido. Se puede medir este esfuerzo como estar de alguna manera entre 11 y 14 en la escala de esfuerzo percibido (véase la página 129).

Se dice, no descontar los beneficios del ejercicio vigoroso. Los nuevos lineamientos son para complementar —no reemplazar— el consejo previo de promover las actividades de alta intensidad para personas que están acondicionadas adecuadamente. La actividad más vigorosa puede traer mayores beneficios de salud. Pero el punto principal es que tome parte en algún tipo de actividad física durante 30 a 60 minutos la mayoría de los días de la semana.

Escala de esfuerzo percibido

La intensidad del ejercicio refleja la cantidad de oxígeno que utiliza el cuerpo. La escala de esfuerzo percibido estima la intensidad del ejercicio. El esfuerzo percibido es la cantidad total de esfuerzo y estrés que se siente durante la actividad, incluyendo la frecuencia cardiaca, la frecuencia respiratoria, transpiración y fatiga muscular.

La escala varía de 6, que representa el cuerpo en reposo, a 20, que significa el máximo esfuerzo. La actividad moderada varía de 11 a 14. Se puede medir el esfuerzo percibido mientras se ejercita. Por ejemplo, ajustar una caminata enérgica en la playa a lo que se perciba aproximadamente en 11 en la escala de esfuerzo para mantener un paso moderado.

6		14	
7	Muy, muy ligero	15	Intenso
8		16	
9	Muy ligero	17	Muy intenso
10		18	
11	Bastante ligero	19	Muy, muy intenso
12		20	
13	De alguna manera intenso		

Copyright 1998 Gunnar Borg.

La percepción de la intensidad del ejercicio es más importante que el nivel de esfuerzo absoluto. Por ejemplo, una caminata enérgica a 5 a 6.5 km por hora se podría sentir como un ejercicio ligero en una persona que está físicamente en forma, pero como un ejercicio extenuante para una persona que no lo está. Ambos individuos se beneficiarán de lo que perciban como ejercicio moderado, aunque caminarán a un paso diferente.

¿Qué tipo de actividad?

La actividad física, por lo general, incluye tres componentes —actividad aeróbica para mejorar la capacidad cardiaca y pulmonar (salud cardiovascular), ejercicios de elasticidad para mejorar la flexibilidad en las articulaciones y músculos, y ejercicios de fortalecimiento para formar y mantener masa ósea y muscular—.

De estos tres componentes, la actividad aeróbica tiene el mayor efecto en la presión arterial; pero aún es importante practicar todos los componentes.

Una actividad es aeróbica cuando pone demandas adicionales en el corazón, pulmones y músculos, aumentando la capacidad del cuerpo para usar oxígeno. Como resultado se puede producir más energía y no se fatigará tan rápido. Aumenta la resistencia y capacidad, de

? ¿Cómo encontrar tiempo para ejercitarse?

La falta de tiempo parece ser un obstáculo común para el ejercicio. Sin embargo, el problema real reside en las prioridades y no en la falta de tiempo. Ser físicamente activo podría requerir que pase menos tiempo haciendo algo más —tal vez media hora menos viendo televisión o viajando en la red—.

- Camine 10 minutos en la hora de la comida, o levántese unos minutos más temprano en la mañana y dé una caminata corta.

- Tome periodos de descanso de las actividades regulares en el trabajo. Levántese del escritorio para estirarse y caminar alrededor.

- En lugar de buscar atajos de un lugar a otro, busque oportunidades para agregar uno o dos minutos extra de caminata.

- Programe tiempo con un amigo para practicar actividades físicas juntos, de manera regular. Esto le ayuda a mantenerse motivado.

manera que pueda hacer las cosas que quiera.

Limpiar la casa, jugar golf o nadar, son actividades aeróbicas si requieren un esfuerzo de ligero a de alguna manera intenso. Otras formas comunes de actividad aeróbica incluyen:

Caminar. Caminar resulta atractivo para muchas personas porque no requiere habilidades atléticas o instrucciones especiales. Es conveniente y barato, y se puede variar la ruta para mantener el interés. Es una actividad que se puede disfrutar solo o con amigos.

Cuando camine, asegúrese de usar buenos zapatos que le den soporte y tracción a los pies. Si ha estado inactivo o está fuera de forma, empiece a caminar a un paso muy ligero durante cinco a 10 minutos. Aumente gradualmente la intensidad y duración de las caminatas, conforme lo tolere. La meta es alcanzar 30 a 60 minutos de ejercicio con cada caminata.

Trotar. Trotar es una forma excelente de ejercicio aeróbico porque brinda un buen entrenamiento al corazón, pulmones y músculos en un periodo breve. Al mismo tiempo, trotar no tiene que ser extenuante para tener un efecto positivo. Puede ir a su paso. Al igual que caminar, trotar no requiere mucho equipo —sólo un buen par de zapatos—.

Sin embargo, se debe considerar que trotar requiere cierto acondicionamiento cardiovascular y fortalecimiento muscular antes de empezar. Si no ha sido activo durante varios meses, empiece a caminar. Cuando sea capaz de caminar 1.6 kilómetros en 30 minutos de manera cómoda, está listo para intentar alternar el trote con la caminata. Aumente gradualmente el tiempo que trota y disminuya el tiempo que pasa caminando.

Para minimizar el riesgo de lesiones y molestias de músculos y articulaciones, no trote más de tres o cuatro veces a la semana e intente hacerlo en días alternos. Si tiene artritis, esta forma de ejercicio puede contribuir con el dolor o la molestia en las rodillas, caderas y tobillos.

Ciclismo. Al igual que la caminata, el ciclismo es una buena elección si está empezando con un programa de ejercicio regular. Es una actividad de bajo impacto ideal para personas con problemas articulares como la artritis. Y el ciclismo ofrece escenarios diferentes en cada estación del año. Empiece lentamente y aumente su resistencia a cerca de 30 minutos o más, tres a seis veces a la semana.

Podría estar tentado a retarse a sí mismo utilizando un cambio en la bicicleta que haga que el pedaleo sea más intenso, lo cual requiere un esfuerzo que semeja al de una carrera intensa. Esto produce fatiga muscular, pero a menudo no hace que el corazón y los pulmones trabajen de manera eficaz. Pedalear más rápido todo el tiempo —80 a 100 revoluciones por minuto— ayudará a hacer el paseo más aeróbico.

Si está preocupado por el tráfico o no quiere arriesgarse al exterior, una bicicleta estacionaria es una buena alternativa. Estas máquinas pueden estar rectas o reclinadas y un tipo no es inherentemente mejor que el otro —la opción es suya—.

Las bicicletas estacionarias dan entrenamiento principalmente a la parte inferior del cuerpo, pero algunas tienen manubrios móviles que aumentan las demandas al corazón y los pulmones. Si tiene problemas de rodilla, ajuste la resistencia a un nivel bajo, y mantenga las rodillas flexionadas en el ciclo de pedaleo.

Natación y ejercicio acuático. Nadar es una excelente forma de ejercicio cardiovascular debido a que acondiciona al corazón y los pulmones así como a todos los músculos en el cuerpo. También es suave con las articulaciones. Si tiene artritis u otra enfermedad articular, nadar es una buena forma de aumentar la actividad aeróbica. Intente nadar durante 30 minutos varias veces a la semana.

Si la natación no es su estilo, considere los acuaeróbicos o

Guía de actividades

Actividad	Minutos requeridos para quemar 150 calorías en una persona de 70 kg*
Lavar y encerar un auto	45 a 60
Lavar las ventanas y los pisos	45 a 60
Jugar voleibol	45
Jugar fútbol	30 a 45
Arreglar el jardín	30 a 45
Rodar en una silla de ruedas	30 a 40
Caminar (20 minutos por 1.6 km)	35
Básquetbol (tirar al aro)	30
Ciclismo (6 minutos por 1.6 km)	30
Bailar rápido	30
Barrer las hojas	30
Acuaeróbicos	30
Podar el césped (podadora manual)	30
Caminar (15 minutos por 1.6 km)	30
Nadar	20
Básquetbol (un juego)	15 a 20
Trotar (12 minutos por 1.6 km)	20
Correr (10 minutos por 1.6 km)	15
Quitar la nieve	15
Subir las escaleras	15

* Equivalente a minutos requeridos para quemar 630 kilojoules en una persona de 70 kg. Adaptado de los National Institutes of Health. Clinical Guidelines on the Identification, Evaluation, and Treatment of Overweight and Obesity in Adults, 1998.

¿Cómo sé si estoy lo suficientemente en forma para ejercitarme?

El acondicionamiento físico es una cualidad individual que está influenciada por la edad, el sexo, la constitución genética, los hábitos alimenticios, el nivel de actividad regular y la presencia de una condición crónica de salud. Usted sabrá que está en forma si puede:

- Realizar las tareas diarias sin cansarse demasiado y todavía tener energía para disfrutar pasatiempos de tiempo libre.
- Caminar 1.6 km o subir unos pisos de escaleras sin que le falte el aire o sienta pesadez o fatiga en las piernas.
- Llevar una breve conversación usando frases cortas durante un ejercicio moderado como una caminata enérgica.

Si está fuera de forma, se siente cansado la mayor parte del tiempo y se fatiga rápidamente, es incapaz de mantener el ritmo de otras personas de su edad, y evita ciertas actividades porque sabe que se cansará rápido.

simplemente caminar en la alberca. Debido a que el agua brinda aproximadamente 12 veces la resistencia del aire, caminar con el agua a la altura del pecho requiere que ejerza una cierta cantidad de fuerza para vencer la resistencia. La amortiguación del agua evita caídas y puede auxiliar a la circulación en personas con problemas de flujo sanguíneo en las extremidades inferiores.

Máquinas de ejercicio. Cada una de las seis máquinas básicas de ejercicio ofrece beneficios de acondicionamiento específicos que ayudan a aumentar la capacidad aeróbica. Además de las bicicletas estacionarias mencionadas anteriormente, hay máquinas de remos, bandas sinfín, escaladoras, máquinas de campo traviesa y máquinas elípticas.

En general, uno obtiene lo que paga cuando compra una máquina de ejercicio. Vea la garantía —por lo general es un signo de calidad—. Asegúrese de que el dispositivo está construido de manera sólida, sin cables o cadenas expuestos, y que opera de manera regular. Evite los componentes operados con resortes.

Puede consultar un experto en un gimnasio local o club de acondicionamiento físico para obtener sus recomendaciones. Ellos le pueden ayudar a intentar diferentes modelos.

¿Qué tanta actividad?

No importa qué actividad elija hacer, los músculos y articulaciones necesitan tiempo para acostumbrarse a las diferentes demandas. Si ha estado inactivo, empiece con periodos de 5 a 10 minutos de actividad a la vez, y aumente gradualmente en incrementos de un minuto.

Al principio, intente ejercitarse tres veces a la semana. Agregue más días después de que se haya acostumbrado al ejercicio. Aumentar el tiempo gradualmente reduce el riesgo de lesión y malestar.

La meta es ser tan activo como pueda cada día. Como mínimo, intente quemar por lo menos 150 calorías al día haciendo actividades aeróbicas. (Véase "Guía de actividades" en la página 133). Para actividades moderadamente intensas, esto equivale a cerca de 30 minutos. Las actividades más ligeras requieren más tiempo, y las actividades más vigorosas menos tiempo.

Mientras más pese, menos tiempo tardará en quemar calorías —mientras menos pese, necesitará más tiempo—. Sin embargo, si usa 30 minutos como una guía, estará cerca de obtener la mínima cantidad que necesita.

Recuerde, si es difícil reservar 30 minutos de su apretada agenda, puede acumular las actividades en intervalos cortos a lo largo del día. Dé una caminata corta antes del desayuno o durante la hora de la comida. Estacione el auto lejos del trabajo para dar una caminata más larga a la puerta de la oficina. Busque cualquier oportunidad para incluir más actividad dentro de su rutina diaria.

El siguiente plan de acondicionamiento físico de seis pasos destaca cómo empezar un programa de actividad, cómo agregar tiempo o distancia conforme mejora la condición física, y cómo agregar entrenamiento de fuerza para completar su acondicionamiento general.

Plan básico de acondicionamiento físico

Cualquiera puede activarse físicamente. Nunca es demasiado tarde para empezar, sin importar la edad, el peso o la experiencia. Pero tomar estos primeros pasos para ser más activo algunas veces no es tan fácil como parece.

Muchas personas empiezan a ejercitarse, pero no se adhieren a ello, a menudo porque intentan hacer demasiado muy rápido. Una

mentalidad de todo o nada es una receta para el desaliento, sin mencionar una posible lesión. Ajuste sus expectativas a su nivel de actividad, preocupaciones de salud, tiempo disponible y motivación.

Si tiene una condición de salud crónica o está en riesgo importante de enfermedad cardiovascular, podrían aplicarse precauciones especiales antes de empezar un programa. Revise primero con el médico si:

- Tiene una presión arterial de 160/100 mm Hg o más.
- Tiene enfermedad cardiovascular o pulmonar, diabetes, artritis, osteoporosis, enfermedad renal o cualquier condición que requiera atención médica.
- Tiene antecedente familiar de problemas relacionados con el corazón antes de los 55 años.
- Es un varón de 40 años o más o una mujer de 50 años o más.
- Está inseguro de su estado de salud.
- Ha experimentado previamente malestar precordial, falta de aire o mareo después del ejercicio leve.

Si toma medicamentos, pregunte al médico si la actividad física cambiará la manera en la que funciona el medicamento. Los medicamentos para la diabetes y la enfermedad cardiovascular pueden causar deshidratación, alteración del equilibrio y visión borrosa. Algunos medicamentos pueden

Ejercicio y presión arterial

Para tener una imagen real de su presión arterial cuando la monitorice en casa, mídala antes de ejercitarse y no después. Esto se debe a que su presión arterial puede bajar temporalmente durante una cierta cantidad de tiempo después del ejercicio.

también afectar la forma en la que el cuerpo reacciona con el ejercicio.

Establezca sus metas

El establecimiento de metas es una forma de cubrir las expectativas y mantenerse motivado. Para empezar un programa de ejercicio, intente metas sencillas que sean desafiantes pero alcanzables en un tiempo razonablemente corto. Es fácil frustrarse y renunciar en las metas que son demasiado ambiciosas o que tardan mucho en lograrse.

A menudo, las metas generales (metas de resultados) se pueden lograr por medio de una serie de metas más pequeñas (metas de desempeño) que se apoyan unas sobre otras.

Por ejemplo, si tiene presión arterial alta, una de las metas de resultado debería ser alcanzar un objetivo de presión arterial establecido por el médico. Otra podría ser perder peso. Estas metas de resultado podrían ser:
- Reduciré mi presión sistólica 4 mm Hg y la diastólica 2 mm Hg en seis meses.
- Perderé 2.5 kilogramos en seis meses.

Se puede planear lograr estas metas con una serie de metas de desempeño. Éstos son algunos ejemplos:

- Evitaré el elevador en el trabajo y usaré las escaleras.
- Estaré activo por lo menos 15 minutos cada tarde arreglando el jardín o con quehaceres de la casa.
- Caminaré durante 30 a 60 minutos tres días a la semana.
- Realizaré ejercicios de estiramiento dos días a la semana.
- Haré estiramiento antes y después de todos los ejercicios.

Note que las metas de desempeño, por lo general, incluyen acciones específicas. Escriba todas sus metas. Siempre esté preparado para cambiar o ajustarlas para cubrir sus necesidades o para establecer nuevas metas.

El éxito de las metas de desempeño se puede medir por el dominio de cada actividad. Las metas de resultados le ayudan a enfocarse en el resultado deseado y mantenerse hacia delante. Las personas que pueden permanecer físicamente activas durante seis meses, terminan convirtiendo esta actividad en un hábito.

Prepare su ropa y equipo

La elección de la ropa de ejercicio depende de la actividad y del clima o lugar en donde se ejercite. Elija prendas cómodas y no ajustadas que le ayuden a sentirse seguro, con soporte y seco. Es mejor que se vista con menos abrigo del que parece necesario, debido a que el ejercicio genera calor en el cuerpo.

La ropa deportiva actual usa telas para desempeño de alta tecnología que llevan el sudor de la piel hacia la superficie externa de la prenda, en donde se puede evaporar rápidamente. Estas telas no harán que deje de sudar, pero sí mantendrán la piel más seca.

Los tenis pueden ser el artículo deportivo más importante debido a que, para muchas actividades, los pies soportan la mayor carga. Los tenis deben tener la amplitud adecuada, con amortiguación o absorción de impacto, soporte de arco, cierto grado de flexibilidad, y espacio para que se muevan los dedos.

Unos buenos zapatos para caminar son estables de lado a lado y tienen un diseño de suela curvo que ayuda al pie a realizar un movimiento natural al caminar, apoyando primero el talón luego el resto de la planta del pie y finalmente los dedos. Está bien usar tenis para correr si su principal actividad es caminar, siempre y cuando los pies se sientan cómodos y con apoyo.

Si principalmente trota o corre, evite zapatos diseñados para caminar. El pie recibe un impacto más fuerte cuando corre. El zapato debe brindar amortiguación extra para proteger a los huesos y articulaciones.

Si planea el ciclismo, busque un casco que esté bien ventilado y sea fácil de usar con tirantes ajustados. Si tiene problemas para ajustar el casco a su cabeza, será menos probable que lo use. Un casco debe permanecer en su lugar cuando lo jale hacia arriba desde la parte de enfrente y no debe moverse en ninguna dirección o deslizarse. Pruébese el casco antes de comprarlo.

Asegúrese de que su bicicleta esté ajustada para su altura y longitud del brazo. Cuando esté sentado con el pie en el pedal más cerca del piso, la pierna debe estar casi extendida por completo. Usted debe ser capaz de alcanzar el manubrio y accionar los frenos y los cambios mientras mantiene sus ojos en el camino.

Tome su tiempo para estirarse

La flexibilidad es la capacidad para mover las articulaciones a través de su margen completo de movimiento. Se aumenta o se mantiene la flexibilidad al estirar con regularidad los músculos, en particular antes y después del ejercicio. Los estiramientos mejoran la condición y la postura, alivian el estrés y reducen el riesgo de lesión.

Estirarse durante 5 a 10 minutos antes de una actividad ayuda a preparar el cuerpo para el ejercicio aeróbico siguiente. Asegúrese de calentar un poco antes de estirarse debido a que estirar un músculo frío puede desgarrar el tejido. Se

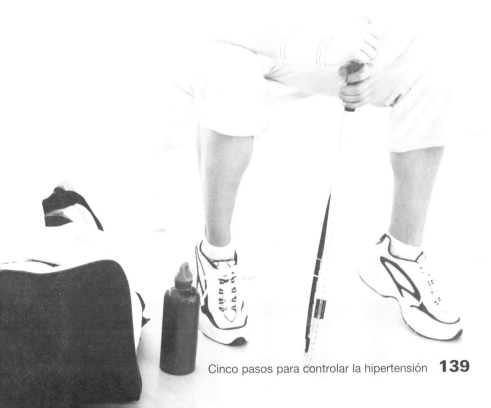

presentan estiramientos simples en las páginas 141-142.

Si tiene tiempo para estirarse sólo una vez durante el entrenamiento, estírese durante 5 a 10 minutos después del ejercicio debido a que, en este momento, los músculos están relajados y más receptivos al estiramiento. Esto mejora la flexibilidad general en los músculos y articulaciones, y ayuda a prevenir el dolor muscular.

Enfatice el acondicionamiento aeróbico

Invierta por lo menos 30 minutos haciendo actividades como caminar, trotar, ciclismo y natación. Esto desarrollará la capacidad aeróbica, lo cual significa que el corazón, pulmones y vasos sanguíneos pueden transportar, de manera eficiente, grandes cantidades de oxígeno a todo el cuerpo. Como resultado, se puede producir más energía y no se fatigará tan rápido. También se queman más calorías, se controla el apetito, se aumenta la resistencia y se duerme mejor por la noche.

Dependiendo del nivel de condición física, la actividad aeróbica debe ser de bastante ligera a de alguna manera intensa. Si ha estado inactivo y fuera de forma, empiece con sólo tres a cinco minutos a un paso muy ligero. Después aumente gradualmente el tiempo de uno a tres minutos por sesión y aumente su paso. Muchas personas empiezan un programa con mucho entusiasmo y después lo dejan cuando sus músculos y articulaciones duelen o se lesionan.

Después de que ha estado activo durante un tiempo y se siente listo, gradualmente aumente el paso o aumente el tiempo que pasa realizando la actividad por unos minutos cada día. En lugar de 30 minutos casi todos los días de la semana, intente proponerse 45 a 60 minutos.

Cuando haga actividades aeróbicas tenga estas sugerencias en mente:

Intercale las actividades. Hacer la misma rutina todo el tiempo aumenta la probabilidad de que se aburra y pierda interés en el programa. Piense en actividades aeróbicas que no son las comunes, como canotaje, baile de salón o ejercicio acuático. Además, intente alternar entre actividades que enfaticen el acondicionamiento de la parte superior e inferior del cuerpo. Participar en más de una actividad (entrenamiento cruzado) reduce la probabilidad de sobreesfuerzo o desgarro de un músculo o una articulación, mientras otros se utilizan muy poco.

Sea flexible. En los días en los que está muy cansado o no se siente bien, no se fuerce a sí mismo a hacer ejercicio. Esté dispuesto a

Estiramientos de calentamiento y enfriamiento

Estiramiento de la pantorrilla:

Póngase de pie a un brazo de distancia de la pared. Inclínese en la pared. Coloque una pierna hacia delante con la rodilla flexionada. Mantenga la otra pierna atrás con la rodilla estirada y el tobillo en el piso. Mantenga la espalda erguida, mueva las caderas hacia la pared hasta que sienta el estiramiento. Mantenga durante 30 segundos. Relájese. Repita con la otra pierna.

Estiramiento de la parte posterior del muslo:

Siéntese de una manera segura en una mesa baja o una silla con una pierna apoyada en otra silla. Sin doblar la rodilla, mantenga la espalda derecha e inclínese hacia delante hasta que sienta un suave jalón en la parte posterior del muslo. Mantenga esta posición durante 30 segundos. Relájese. Repita con la otra pierna. (También puede hacer este ejercicio sentado en el piso con una pierna al frente y la otra doblada hacia atrás.)

Estiramientos de calentamiento y enfriamiento

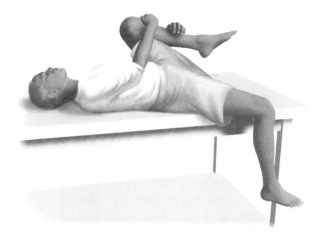

Estiramiento de la parte superior del muslo:

Recuéstese en una mesa o cama con una pierna y cadera tan cerca del borde como sea posible y la parte inferior de la pierna colgando relajada sobre el borde. Jale la otra pierna y rodilla firmemente hacia el pecho hasta que la parte baja de la espalda se aplane contra la mesa. Sostenga durante 30 segundos. Relájese. Repita con la otra pierna.

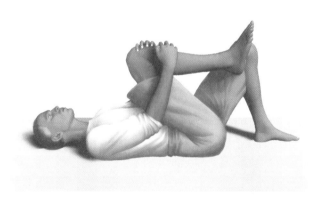

Estiramiento de la parte baja de la espalda:

Acuéstese en una superficie plana, como el piso o una mesa, con las rodillas flexionadas y los pies sobre la superficie. Tome una rodilla y jálela hacia los hombros. Deténgase cuando sienta un estiramiento en la parte baja de la espalda. Sostenga durante 30 segundos. Relájese. Repita con la otra pierna.

tomar un pequeño descanso del programa. Tan pronto como pueda, retome la rutina con una actividad que disfrute.

Escuche a su cuerpo. Empiece lentamente y dé a su cuerpo la oportunidad de acostumbrarse a la mayor actividad. El estiramiento es la clave para permanecer flexible y mantener el margen de movimiento en los músculos y articulaciones. El dolor muscular después del ejercicio es común, en especial si es una actividad nueva, pero el dolor durante el ejercicio podría enviar una señal diferente. Esté alerta de los signos de sobreentrenamiento o estrés. (Véase "Cómo evitar lesiones" en las páginas 148-152.)

Para ganar fuerza

Por lo menos dos veces a la semana invierta 20 a 30 minutos haciendo ejercicios que le ayuden a ganar fuerza y resistencia muscular. El entrenamiento de fuerza también se llama entrenamiento de resistencia o entrenamiento con peso. Esto no significa que aumentará de volumen. La mayor masa muscular por estos ejercicios simplemente le brinda un "motor" más grande para quemar calorías y controlar el peso.

El entrenamiento de fuerza es especialmente importante conforme se envejece porque la masa muscular disminuye con la edad. Tener mayor fuerza muscular también hace que la actividad

aeróbica sea más fácil. Además, cuando los músculos, tendones y ligamentos alrededor de las articulaciones están más fuertes, ayudan a proteger de caídas y fracturas y a reducir el riesgo de lesión.

Se gana fuerza cuando los músculos empujan o jalan contra una fuerza de oposición, como el peso o la gravedad. La resistencia se puede lograr en muchas formas —moviéndose o empujando contra su propio cuerpo, jalando una banda elástica o levantando objetos pesados como barras y pesas.

La cantidad de peso o resistencia que se requiere para formar músculo depende de la fuerza actual. Elija una resistencia que lo haga sentir como si estuviera trabajando a un nivel de alguna manera intenso. Conforme se fortalezca, puede aumentar el peso o la resistencia o el número de repeticiones. Vea los lineamientos para entrenamiento de fuerza en la página 146.

Es importante recibir instrucción si nunca ha usado un equipo de entrenamiento de fuerza antes. Querrá aprender una técnica adecuada, precauciones de seguridad y diferentes tipos de ejercicio para realizar con el equipo.

Puede fabricar sus propias pesas llenando calcetines viejos con semillas o monedas, o llenando parcialmente un bote de leche de

Ejercicios sencillos de fortalecimiento

Lagartijas en la pared:

Párese de frente a la pared y póngase lo suficientemente lejos para que pueda poner las palmas de las manos en la pared con los codos un poco flexionados. Lentamente doble los codos e inclínese hacia la pared, soportando su peso con los brazos. Estire los brazos y regrese a la posición inicial. Esto fortalece los músculos de los brazos y el tórax.

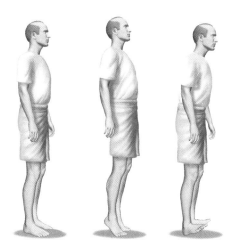

Elevación sobre las puntas de los pies y sobre los talones:

De pie, elévese de tal manera que su peso esté en la punta de sus pies. Después vaya hacia atrás y cambie su peso a los talones, levantando los dedos del piso. Esto fortalece los músculos de la pantorrilla y parte inferior de la pierna para mejorar el equilibrio.

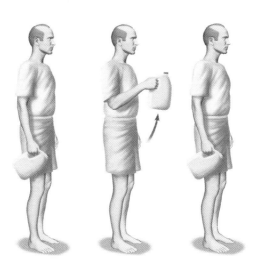

Flexiones de brazo:

Póngase de pie con los pies separados por una distancia igual a la que separa los hombros. Para resistencia, sostenga un bote de 2 L parcialmente lleno. Flexione el codo hasta que la mano llegue a la altura del hombro. Sostenga, después baje el brazo lentamente. Esto tonifica los bíceps, y ayuda a cargar y levantar. Recuerde mantener la muñeca rígida mientras está levantando el bote —no doble o tuerza la muñeca—.

2 L con agua o arena. O puede comprar pesas usadas por kilo en algunas tiendas de equipo atlético. Una banda de resistencia puede ayudarle a trabajar los principales grupos musculares.

Empiece con un peso que pueda levantar cómodamente ocho veces y haga 12 repeticiones. Si es principiante, podría ser que levante sólo 500 g a 1 kg en una serie. Esto está bien. El peso debe ser lo suficiente para cansar los músculos, pero sin causar dolor.

Si empieza con demasiada resistencia o muchas repeticiones, podría dañar los músculos y articulaciones.

Espere a que el cuerpo se acostumbre al ejercicio antes de aumentar la intensidad gradualmente.

Encuentre formas de mantenerse motivado

La mayoría de las personas logran un nivel deseable de condición física en tres a nueve meses de haber iniciado el programa. La meta a partir de ahí es mantener tal nivel de acondicionamiento físico.

Para mantenerse motivado:

Registre su progreso. Mida su progreso con un registro o diario. Ver en papel cómo ha mejorado su

Lineamientos para entrenamiento de fuerza

- Termine todos los movimientos lentamente y con control. Si no puede mantener una buena forma y postura, disminuya el peso o el número de repeticiones.
- Si tiene presión arterial alta, consulte al médico antes de levantar mucho peso. La tensión del levantamiento puede causar un aumento intenso de la presión arterial. Esto podría ser peligroso si la presión arterial no está controlada.
- Respire normal y libremente, exhalando conforme levanta el peso e inhalando conforme lo baja. Sostener la respiración durante el levantamiento puede elevar la presión arterial dramáticamente.
- Suspenda el ejercicio inmediatamente en el momento en el que sienta dolor.
- Estire sus músculos antes y después de la rutina. Cuando se estire antes, caliente primero caminando.
- Es normal experimentar un leve dolorimiento muscular durante unos días después de empezar el entrenamiento de fuerza. Siempre deje por lo menos un día entre las sesiones de entrenamiento de fuerza de manera que los músculos puedan descansar.

condición física puede ayudarlo a sentirse motivado para continuar y hacer más.

Adapte sus actividades. Conforme tenga más condición, ajuste la intensidad y la duración de sus actividades para adaptarse a sus intereses y estilo de vida.

Intente nuevas actividades. Incorporar actividades diferentes y desafiantes en su programa le ayudará a continuar disfrutando sus entrenamientos. También busque formas de incluir a los miembros de la familia en sus actividades físicas.

Ejercicio y control de peso

La actividad física regular, cuando se combina con una adecuada nutrición, hace lo que cientos de dietas prometen pero nunca cumplen. Le ayuda a perder peso y mantenerse así. Simplemente, el ejercicio quema calorías. Y cuando quema más calorías de las que toma puede reducir la grasa corporal.

Así es como funciona. El cuerpo requiere cierta cantidad de energía para mantener las funciones que necesita para mantener la vida.

Cuando se ejercita, el cuerpo trabaja más y necesita más combustible (calorías) para funcionar. Incluso después de que deja de ejercitarse, el cuerpo continúa quemando calorías a un índice modestamente mayor durante unas horas. Mientras más intenso sea el ejercicio, más calorías quema.

De acuerdo con el *American College of Sports Medicine*, las personas que intentan perder peso deben proponerse hacer 2.5 horas de ejercicio de moderada intensidad a la semana (o 30 minutos los cinco días de la semana). El ejercicio de moderada intensidad incluye actividades como caminata enérgica, ciclismo y natación. Si no puede lograr la meta de 2.5 horas inmediatamente, está bien. Trabaje para ello.

El control de peso combinado con ejercicio regular reduce el riesgo de presión arterial alta, incluso si ya tiene alto riesgo. La mayoría de los estudios ha encontrado que la presión arterial se reduce relativamente pronto —tres semanas a tres meses— después de iniciar un programa de ejercicio.

Aunque la cantidad de ejercicio recomendada es de —30 a 60 minutos la mayoría de los días de la semana— puede hacer cambios positivos, hay una advertencia: cuando se deja de hacer ejercicio la presión arterial regresa al nivel anterior.

La actividad física ayuda no sólo a perder peso, sino a mantenerlo constante. Por ello no se deje de ejercitar sólo porque haya perdido unos kilos. Los individuos que están en un peso saludable requieren tanta actividad física como las personas con sobrepeso.

Cómo evitar lesiones

Todas las personas que son físicamente activas están destinadas a sentir dolor, rigidez o molestias menores ocasionales. El dolor muscular que sigue un día o dos después del ejercicio es normal, en especial si ha sido sedentario antes o si está probando una nueva actividad.

De hecho, la mayoría de las lesiones que se presentan durante la actividad física se originan por excederse: demasiada cantidad, demasiado intenso, demasiado rápido, demasiado pronto, demasiado prolongado.
El dolor durante el ejercicio puede ser un signo de alerta de una lesión inminente. Respirar a bocanadas. y tener dolor articular son otros signos de que necesita bajar la intensidad.

Sólo recuerde, si lo que está haciendo produce dolor, entonces es probable que se esté excediendo. Es tiempo de considerar reducir la intensidad del ejercicio o probar una actividad diferente.

Otra causa común de dolor es hacer las mismas actividades una y otra vez sin variación. Esto puede llevar a lesiones por sobreesfuerzo, causadas por el estrés repetido en una parte específica del cuerpo.

Se puede reducir el riesgo de lesión por el ejercicio con los siguientes consejos:

Tome mucha agua. El agua ayuda a mantener la temperatura normal del cuerpo y enfriar los músculos que están trabajando. El ejercicio hace que se pierda parte de esa agua. Para ayudar a reponer estos líquidos que se pierden, tome agua antes, durante y después de la actividad.

Caliente y enfríe. Estirar antes de la sesión prepara al cuerpo para la actividad que viene. Estirarse después ayuda a mejorar la flexibilidad. Recuerde calentar brevemente antes de estirar los músculos fríos para evitar desgarres musculares.

Esté activo con regularidad. Mientras menos en forma esté usted, mayor es la probabilidad de lesionarse. Evite ser un guerrero de fin de semana, cuando reserve la mayor parte de su actividad para dos días de la semana. El riesgo de lesión aumenta conforme va y viene entre entrenamientos intensos y periodos de inactividad.

¿Cómo me puedo ejercitar cuando tengo artritis dolorosa en mis dos rodillas?

Para muchas personas con problemas de dolor, el ejercicio puede ser favorable. En el caso de artritis, el ejercicio adecuado puede ayudar a mantener mejor la movilidad de las articulaciones.

- Pruebe ejercicios acuáticos. La amortiguación del agua reduce el peso para las articulaciones. Puede nadar a su manera o podría probar una clase de acuaeróbicos.
- Use una bicicleta estacionaria o inclinada. Esto quita presión para las rodillas.
- Considere tomar a una clase de yoga básica o de tai chi para aumentar la fuerza y la flexibilidad de las articulaciones.
- Vea a un terapeuta físico que pueda ofrecer recomendaciones acerca del mejor tipo de ejercicios para usted, y que le enseñe cómo hacerlos correctamente para evitar lesiones y más dolor.

Siga la regla del 10 por ciento. Si está planeando hacer su ejercicio más intenso, limite estos incrementos a aproximadamente 10 por ciento. Por ejemplo, si nada durante 30 minutos esta semana, planee aumentar su sesión a 33 minutos para la siguiente semana, y de ahí en adelante.

Evite actividades de inicio-y-alto. Una forma de actividad controlada y continua, como caminata o ciclismo, produce menos riesgo de un jalón muscular u otra lesión, que las actividades en las cuales se mueve y se detiene con frecuencia, como el básquetbol y el tenis.

No compita. Evite la intensidad física y emocional que a menudo acompañan a los deportes competitivos. Un ambiente menos estresante le permite permanecer en control de su cuerpo y no sobreesforzarse.

Deje que la comida se digiera. Espere dos a tres horas después de tomar una comida abundante antes de realizar una actividad física. La digestión dirige la sangre hacia el sistema digestivo y lejos del corazón.

Ajuste la actividad al ambiente. Cuando hay un clima cálido y húmedo, reduzca su velocidad y distancia. O ejercítese temprano por la mañana o avanzada la tarde cuando está más fresco. Evite la actividad cerca del tráfico intenso. Respirar el monóxido de carbono que desprenden los automóviles reduce el aporte de oxígeno al corazón.

Conozca los signos de alarma. Busque atención inmediata si presenta cualquiera de estos signos y síntomas:

- Opresión en el pecho.
- Falta de respiración grave.
- Dolor en el pecho o dolor en los brazos o mandíbula, a menudo del lado izquierdo.
- Latidos cardiacos rápidos e irregulares (palpitaciones).
- Mareo, desmayo, o sentirse mal del estómago.

¿Qué pasa con las enfermedades?

Si se está sintiendo cansado o dolorido, ¿se debe ejercitar? La respuesta podría depender de la enfermedad que tenga. Si tiene un resfriado, el ejercicio moderado no lo empeorará o lo prolongará. Si tiene una infección acompañada de fiebre, el ejercicio aumenta el riesgo de deshidratación, temperatura del cuerpo peligrosamente alta e incluso insuficiencia cardiaca.

Un lineamiento común para determinar si debe o no hacer ejercicio es hacer una "revisión de cuello". Si los signos y síntomas están por arriba del cuello —una nariz congestionada o con secreción, estornudos o dolor de garganta —entonces el ejercicio moderado es seguro, aunque con precaución. Si empieza a sentirse muy mal, suspenda el ejercicio.

Evite la actividad intensa si sus signos y síntomas están por debajo del cuello. Estos incluyen dolores musculares, tos seca, fiebre, fatiga extrema, vómito, diarrea, escalofríos y ganglios linfáticos inflamados.

Recordatorio

Puntos clave a recordar:

- La actividad física regular generalmente puede reducir la presión arterial 5 a 10 mm Hg.
- Ejercitarse regularmente es más importante que la intensidad del ejercicio.
- Haga 30 minutos de actividad moderadamente intensa la mayoría de los días de la semana, si no es que todos.
- La actividad aeróbica tiene el mayor efecto en la presión arterial.
- Si el tiempo para ejercitarse es un problema, busque formas para incluir más actividad en su rutina diaria.

Evitar el tabaco y limitar el alcohol

A pesar del progreso en el esfuerzo por reducir el consumo de tabaco, millones de personas siguen fumando o usando productos de tabaco. Además es muy probable que usted sea parte de la gran mayoría de personas que toman alcohol, al menos ocasionalmente.

Incluso si es una persona sana, el tabaco y el alcohol pueden elevar la presión arterial a un nivel poco saludable. La cafeína también puede tener un efecto. Si tiene hipertensión o está en riesgo de tenerla, necesita estar especialmente alerta a los efectos que estas sustancias pueden tener en la presión arterial.

Tabaco e hipertensión

Aproximadamente una de cada tres personas con presión arterial alta fuma. El simple hecho de tener hipertensión lo coloca en un mayor riesgo de complicaciones. Pero si tiene presión arterial alta y fuma, tiene dos a tres veces más probabilidad de desarrollar enfermedad cardiovascular que una persona que no fuma. Además es tres a cinco veces más susceptible de morir por ataque cardiaco o insuficiencia cardiaca; y tiene más del doble de probabilidad de morir por un ataque vascular cerebral. Estos números son advertencias claras acerca de los peligros del tabaquismo.

Cómo afecta el tabaquismo a la presión arterial

El tabaco contiene una droga altamente adictiva llamada nicotina —la sustancia que hace que sea tan difícil dejar de fumar, incluso aunque lo desee—. También es la que causa que la presión arterial se eleve poco después de que se da la primera bocanada.

Al igual que otros químicos en el humo del tabaco, la nicotina es captada por los pequeños vasos sanguíneos en los pulmones y se transporta a través del torrente sanguíneo. Tarda sólo unos segundos para que la droga llegue al cerebro. El cerebro reacciona a la nicotina señalando a las glándulas suprarrenales que liberen epinefrina (adrenalina). Esta hormona poderosa estrecha los vasos sanguíneos, forzando al corazón a bombear más fuerte bajo una presión más alta.

El monóxido de carbono en el humo del tabaco reemplaza parte del oxígeno que se transporta en la sangre. Cuando el cuerpo no obtiene el suficiente oxígeno que necesita, requiere que el corazón y los pulmones trabajen más. Después de fumar sólo dos cigarrillos, tanto la presión sistólica como la diastólica aumentan un promedio de cerca de 10 milímetros de mercurio (mm Hg). La presión arterial permanece a este mayor nivel durante aproximadamente 30 minutos después de que se termina de fumar.

Conforme se eliminan los efectos del tabaquismo, la presión arterial disminuye gradualmente. Sin embargo, si fuma intensamente, la presión arterial permanecerá a un nivel elevado a lo largo del día. Si fuma, mida con regularidad la presión arterial en casa. Hágale saber al médico si las lecturas en casa son más altas que las que se presentan durante las revisiones.

El tabaquismo tiene otros efectos dañinos en el cuerpo. Los químicos absorbidos del humo de tabaco afectan las paredes internas de las arterias, haciéndolas más susceptibles a la acumulación de depósitos grasos (placas) que estrechan a las arterias. El tabaco también desencadena la liberación de hormonas que hacen que el cuerpo retenga líquidos. Estos dos factores pueden llevar a hipertensión.

La exposición a humo de segunda mano también sigue siendo un importante riesgo de salud. En términos de algunos de los efectos negativos sobre los vasos sanguíneos, incluso una exposición corta al humo de segunda mano se cree que da

Los ex fumadores sí ganan

Muchas personas siguen fumando porque piensan que no pueden deshacer el daño ya hecho a sus cuerpos. O saben que muchos otros fumadores que han tratado de dejar de fumar han fracasado. Estas aseveraciones son erróneas.

El cuerpo tiene una capacidad increíble para repararse a sí mismo. Al final del primer año sin fumar, el riesgo de ataque cardiaco se reduce 50 por ciento, y después de cinco años, es casi el mismo que el de una persona que nunca ha fumado. Además, después de 10 a 15 años el riesgo de tener cáncer de pulmón y otros cánceres asociados con el tabaquismo es casi la mitad del riesgo de un fumador.

Es cierto que la mayoría de los fumadores no pueden dejar el hábito en su primer intento, en particular si tratan de dejarlo por sí mismos. Pero dejar de fumar es como aprender cualquier cosa nueva. A menudo toma varios intentos, y una mala experiencia no debe hacer que no lo intente de nuevo. De hecho, puede aprender de los intentos anteriores, con lo cual aumentan las probabilidades de tener éxito en el futuro.

También se pueden aumentar las probabilidades de éxito al obtener ayuda del médico o al usar un programa que se especialice en ayudar a que los fumadores dejen de fumar. Hay también más medicamentos que nunca antes para ayudarlo.

Es cierto que muchas personas aumentan de peso después de dejar de fumar. Pero las consecuencias negativas del peso adicional por lo general se compensan por los beneficios positivos para la salud de dejar de fumar.

como resultado un daño tan importante como si el no fumador fuera en realidad el que está fumando.

Cada año se estima que en Estados Unidos entre 23 000 y 70 000 no fumadores mueren por enfermedad cardiaca causada por humo de segunda mano. Si tiene otros factores de riesgo de enfermedad cardiaca, es imperativo que evite el tabaquismo de segunda mano. Incluso si no tiene otros factores de riesgo, la exposición a tabaquismo de segunda mano se considera peligrosa para la salud.

Por qué suspender el tabaquismo es crucial

No fumar puede sólo reducir un poco la presión arterial regular. Pero es todavía importante suspenderlo. Estos son los motivos:

Primero, fumar puede interferir con algunos medicamentos para la hipertensión, evitando que actúen tan bien como deberían, o a veces haciendo que no funcionen en lo absoluto. Segundo, tener hipertensión lo coloca en un mayor riesgo de ataque cardiaco, insuficiencia cardiaca y ataque vascular cerebral por el daño que puede causar a los sistemas circulatorio y neurológico.

El tabaquismo daña las arterias produciendo los mismos riesgos cardiovasculares que la hipertensión. Por lo tanto, cuando se combinan la hipertensión con el tabaquismo, las probabilidades de enfermedad cardiovascular son mucho mayores.

Cómo superar la adicción al tabaco

Algunas personas pueden simplemente dejar de fumar y nunca vuelven a hacerlo. La mayoría de las personas requieren muchos intentos. Pero *puede* dejarlo —muchas personas lo han hecho. Y si lo intenta, puede trabajar con el médico para permanecer en control de la presión arterial.

Dejar de fumar es el resultado de planeación y compromiso, no de suerte. El plan debe combinar varias estrategias para:

- Lidiar con los síntomas de abstinencia de la nicotina.
- Resistir el deseo de fumar.
- Mejorar la salud física general y la emocional.
- Ganar apoyo social y guía cuando sea necesario.

No espere encontrar un plan ya hecho para adoptarlo a su manera. Ningún plan único funciona para todos —no hay un "camino correcto" para dejar de fumar—. Construya un plan para dejar de fumar con el que se sienta cómodo y que se ajuste a sus necesidades.

Estudios muestran que usar y combinar más de una estrategia en el plan aumenta las probabilidades de éxito. Estas estrategias podrían incluir comer mejor, ejercitarse, dormir lo suficiente y reducir el estrés.

Casi todos experimentan algunos síntomas de abstinencia cuando dejan de fumar. Para la mayoría de los fumadores, los síntomas duran varias semanas, haciéndose menos intensos y menos frecuentes con el tiempo. Los síntomas comunes incluyen irritabilidad, ansiedad, nerviosismo y pérdida de concentración. Usar uno o más tipos de medicamentos puede ayudar a aliviar estos síntomas.

Muchas semanas después de la fecha para dejar de fumar, podría todavía tener el deseo de encender un cigarrillo, en particular en las situaciones en que normalmente lo haría, como después de la comida. Estos deseos y antojos por lo general son breves, pero pueden ser muy fuertes y difíciles de resistir.

Ciertas estrategias en el plan para dejar de fumar pueden ser cambiar conductas o evitar situaciones que hacen que fume. También puede identificar actividades alternativas o distracciones que le ayuden a resistir los deseos y antojos.

La mayoría de las recaídas suceden dentro de las primeras cuatro semanas después de dejar de fumar. A menudo la recaída se presenta por el agobiante poder de la adicción a la nicotina, y debido a que el fumador no ha desarrollado un plan de "escape del fuego".

Los siguientes lineamientos pueden aumentar las probabilidades de éxito:

Haga su tarea. Lea acerca de los peligros de los productos del tabaco y hable con las personas que han dejado de fumar o que están tratando de hacerlo. Considere sus propias conductas de tabaquismo y planee formas de prevenir o evitar estas situaciones. Identifique las motivaciones para dejar los cigarrillos. Esta preparación le ayuda a saber qué puede suceder

cuando finalmente llegue el día de dejar de fumar.

Establezca un día para dejar de fumar. Establecer una fecha firme para dejar de fumar parece funcionar mejor que disminuir gradualmente. Por lo tanto, seleccione con cuidado un día en el que tire sus cigarrillos y no vuelva a encender uno. No trate de dejarlo cuando sepa que su nivel de estrés será alto —aunque es poco probable que haya un momento en el que esté totalmente libre de estrés—.

Considere ayuda con medicamentos y asesoría. La nicotina en los productos del tabaco es altamente adictiva. Hay medicamentos disponibles que pueden reducir los síntomas de abstinencia y aumentar el bienestar y la sensación de control (véase el cuadro de las páginas 160-161). Los medicamentos no pueden hacer todo el trabajo, pero pueden brindarle una mayor probabilidad de éxito.

La investigación indica que los medicamentos junto con asesoría de un profesional de la atención de la salud capacitado son incluso más efectivos. Pregunte al médico acerca de los servicios de asesoría. Además, muchos estados y organizaciones de salud tienen líneas telefónicas que brindan consejo y asesoría para dejar de fumar. Algunos brindan parches de nicotina o goma de mascar de nicotina.

¿Cómo cambio mi rutina de tabaquismo?

Antes del día elejido para dejar de fumar, propóngase separar la acción de fumar de todo lo demás en su vida diaria. Elija una localización como un lugar para fumar, y no fume en ningún otro lado.

- Compre cigarrillos en un diferente lugar cada vez. Nunca regrese al mismo lugar.
- Compre sólo un paquete de cigarrillos. Nunca tenga más de uno disponible a la vez.
- Cuando fume, no haga nada más. No empiece a asociar el tabaquismo con alguna actividad.
- No lleve cigarrillos consigo. Mantenga un paquete en su lugar designado para fumar.
- No traiga encendedor o cerillos con usted. Manténgalos (así como los ceniceros) con su único paquete de cigarrillos.

¿Cómo puedo lidiar con la urgencia de fumar?

- Recuérdese a sí mismo que la urgencia se va en pocos minutos.
- Mantenga sus manos ocupadas.
- Lávese los dientes.
- Piense en algún aspecto del tabaquismo que es negativo para usted.
- Abandone la situación durante unos momentos, si es posible.
- Aclare su mente y piense en una actividad agradable o un lugar relajado por un tiempo breve.
- Llame a alguien y hable acerca de sus sentimientos.

Medicamentos que ayudan a dejar de fumar

La mayoría de las personas usan por lo menos un medicamento cuando intentan dejar de fumar, pero muchos encuentran que una combinación de medicamentos es el método más cómodo y efectivo. Úselos de acuerdo a las instrucciones del médico o, en el caso de medicamentos de venta sin receta, de acuerdo con las instrucciones de la etiqueta.

Los productos de reemplazo de nicotina liberan pequeñas cantidades de nicotina para ayudar a aliviar los síntomas de abstinencia, pero no mantienen al fumador adicto a la sustancia. Estos productos se consideran auxiliares temporales —durante varias semanas y en la mayoría de los casos, varios meses—. Consulte al médico para reducir paulatinamente estos medicamentos.

Parches de nicotina. Similares a una banda adhesiva, se coloca un parche de nicotina en la piel y gradualmente libera nicotina dentro del cuerpo. Es un producto de venta sin receta y viene en diferentes tamaños —mientras más grande sea el parche, más nicotina libera—. Para minimizar la irritación de la piel, cambie el sitio del parche y aplique una crema de cortisona de venta sin receta.

Goma de mascar de nicotina. Este producto de venta sin receta no debe masticarse como un chicle normal. Muerda la goma de mascar de nicotina unas veces, después "estaciónela" entre la mejilla y la encía y déjela ahí. La mucosa de la boca absorbe la nicotina que libera el chicle. Hay dos dosis disponibles —2 miligramos (mg) y 4 mg—. Masque suficiente cantidad para aliviar los síntomas.

Trociscos de nicotina. El trocisco de nicotina fue introducido como un producto de venta sin receta en 2002. Se parece a un caramelo macizo y libera nicotina conforme se disuelve lentamente en la boca. Hay dosis disponibles de 2 y 4 mg —el trocisco de 4 mg se usa en fumadores intensos—.

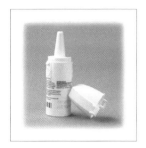

Aerosol nasal de nicotina. Se aplica este producto en la nariz con un frasco dosificador. La nicotina se absorbe en el torrente sanguíneo a través de la mucosa de la nariz, brindando una respuesta más rápida a los deseos de nicotina que otros productos. Se usa principalmente para los momentos en los que se necesita alivio inmediato de los síntomas de abstinencia, y a menudo se usa con la terapia de parche de nicotina o con el medicamento bupropión. El producto está disponible sólo bajo prescripción.

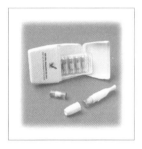

Inhalador de nicotina. Este dispositivo parece un cigarro de plástico que se pone en la boca y se aspira como si fumara, liberando vapor de nicotina en la boca. Aunque se llama inhalador, no libera nicotina en los pulmones. Este producto está disponible sólo por prescripción y la dosis se individualiza. Usar un inhalador también ayuda a los fumadores que extrañan el ritual de llevar la mano a la boca que se realiza al fumar un cigarrillo.

Medicamentos sin nicotina. El bupropión es un medicamento no nicotínico que no produce adicción aprobado por la *Food and Drug Administration* (FDA) como auxiliar para dejar de fumar. No está claro cómo funciona el medicamento exactamente. Una teoría es que el bupropión estimula a la dopamina, un químico en el cerebro que causa una respuesta de bienestar similar a la producida por la nicotina y otros medicamentos de adicción. El bupropión está disponible sólo por prescripción.

Vareniclina es el medicamento de prescripción más reciente aprobado por la FDA para dejar de fumar. Este medicamento estimula los mismos receptores cerebrales que se activan usualmente por la nicotina de los productos que contienen tabaco. Vareniclina también bloquea parte del placer que se obtiene de fumar, haciendo que fumar sea menos placentero.

Comunique su decisión de dejar de fumar. El apoyo de la familia, amigos y compañeros de trabajo puede ayudarle a lograr su meta más rápido. Pero muchos fumadores eligen mantener sus planes en secreto. Esto es porque no quieren parecer fracasados si vuelven a fumar.

Recuerde, le toma a muchas personas tres o más intentos antes de que puedan dejar el tabaco. Por lo tanto, no hay razón para sentirse fracasado sólo porque su esfuerzo no funciona en un momento. Consiga el apoyo de por lo menos una persona en una recaída.

Cambie su rutina. Trate de reducir el número de actividades o situaciones rutinarias que identifique con el tabaquismo antes del día en el que decida abandonarlo. Esto hará más fácil que lo deje por completo. Por ejemplo, dejar de fumar dentro del auto o de la casa. Esto le ayudará a sentirse más cómodo estando en aquellos lugares en los que no fume.

También puede reducir el número de cigarrillos que consume antes del día en el que vaya a dejar de fumar, pero recuerde que la meta es dejarlo por completo.

Tome un día a la vez. En el día en el que vaya a dejar de fumar, suspéndalo por completo y cada día que sigue, enfoque su atención sólo en el resto del día libre de tabaco. No se preocupe por el mañana, la siguiente semana o "el resto de su vida". Sólo tome un día a la vez, un impulso a la vez.

Evite las situaciones de tabaquismo. Permanezca lejos de situaciones en las cuales solía fumar. Deje la mesa de inmediato después de las comidas si éste era un momento en el cual solía fumar —dé una caminata en lugar de ello—. Si siempre fumaba mientras hablaba por teléfono, evite conversaciones telefónicas prolongadas o cambie el lugar en el que habla. Si tiene una silla favorita para fumar, ya no se siente ahí.

De cierta manera, podrá reconocer cuando el impulso de fumar está a punto de invadirlo. Antes de esto, empiece a hacer algo que haga que fumar sea inconveniente, como tender la cama, limpiar la mesa o lavar los platos. La conducta del tabaquismo está profundamente arraigada y es automática —por lo tanto, necesita anticiparse a su respuesta refleja para este impulso y planear alternativas—.

Determine la duración del deseo de fumar. Mire el reloj cuando sienta un impulso de fumar. Generalmente no dura mucho. Una vez que se dé cuenta de esto, podría ser más fácil resistirse. Recuérdese a sí mismo, "Puedo resistir unos minutos más, y después el impulso pasará".

Use medicamentos junto con otras estrategias para dejar de fumar.

Recuerde que los medicamentos sólo son una parte del plan general para cambiar el hábito.

Alcohol e hipertensión

Existe una clara asociación entre la cantidad de alcohol que se consume y su efecto en la presión arterial. Por lo tanto, si bebe alcohol, el mejor consejo es hacerlo con moderación. Pequeñas cantidades de alcohol parecen no aumentar la presión arterial y esto es cierto incluso si se tiene presión arterial alta.

Cierta evidencia también sugiere que beber con moderación podría tener ciertos beneficios cardiovasculares. Por ejemplo, estudios indican que puede reducir el riesgo de ataque cardiaco en adultos de edad media y que puede reducir el riesgo de coágulos de sangre, los cuales pueden producir ataque vascular cerebral.

Beber con moderación también puede reforzar la producción de colesterol de lipoproteína de alta

¿Cuál es la mejor manera de reducir el consumo de alcohol?

Si bebe demasiado alcohol y quiere reducir su consumo, es mejor reducir gradualmente la cantidad que consume durante un periodo de una a dos semanas.

Las personas que consumen mucho alcohol y lo dejan súbitamente pueden desarrollar presión arterial alta grave que dura varios días. Una explicación es que cuando se elimina el alcohol del torrente sanguíneo de manera súbita, el cuerpo libera cantidades anormales de la hormona epinefrina (adrenalina), lo cual hace que la presión arterial se eleve de manera brusca.

Si tiene presión arterial alta y toma más de una cantidad moderada de alcohol, hable con el médico acerca de la forma más segura y exitosa de limitar o evitar el alcohol.

densidad (colesterol HDL o "bueno") —el colesterol que ayuda a proteger a las arterias de la formación de placa. Si no ha tomado antes, no hay razón para empezar ahora debido a los potenciales problemas con el alcohol.

A diferencia del consumo moderado, el consumo excesivo de alcohol es un problema para el sistema cardiovacular —junto con muchas otras consecuencias de salud negativas—. Beber mucho alcohol puede aumentar la presión arterial e interferir con el funcionamiento de los medicamentos antihipertensivos. Beber intensamente puede ser responsable de cerca de 8 por ciento de los casos de hipertensión en Estados Unidos.

Beber con moderación: ¿menos de lo que piensa?

Las bebidas alcohólicas contienen cantidades variables del químico etanol (alcohol etílico) —mientras más etanol, más fuerte es la bebida—. Para la mayoría de los varones, beber con moderación significa dos copas al día. Dos copas son iguales a dos latas de cerveza de 12 onzas (360 mililitros o mL), dos vasos de 5 onzas (150 mL) de vino o dos vasos tequileros de 1.5 onzas (45 mL) de licor de 80 grados.

Para las mujeres, y varones de talla corta, beber con moderación es la mitad —una copa, o no más de

la mitad de una onza (15 mL) de etanol al día—. La cantidad es menor debido a que las mujeres metabolizan el alcohol de manera diferente a los varones, y las personas con talla más baja tienen menores volúmenes de sangre, lo cual da como resultado mayores concentraciones de etanol en sus sistemas. Para los varones y mujeres de 65 años o más, beber con moderación es una copa al día.

Recuerde que los efectos del alcohol sobre la salud están todavía en estudio. Incluso beber con moderación podría no ser bueno para ciertas personas. Asegúrese de consultar con el médico sobre cómo el consumo de alcohol puede afectar la salud en general y la presión arterial.

Cómo afecta el alcohol a la presión arterial

Se desconoce la manera exacta en la que el alcohol —más de una cantidad moderada— aumenta la presión arterial. Una teoría sostiene que el consumo de alcohol desencadena la liberación de epinefrina (adrenalina) y otras hormonas que constriñen los vasos sanguíneos o hace que los riñones retengan más sodio y agua, lo cual eleva la presión arterial.

El consumo excesivo de alcohol está también asociado con mala nutrición, lo cual puede disminuir los niveles de calcio y magnesio.

Una falta de estos minerales en el cuerpo está asociada con presión arterial alta. Los genes también pueden jugar un papel en la manera que el alcohol afecta la presión arterial.

No es sólo la cantidad de alcohol que consume, sino también cuándo lo consume lo que puede afectar la presión arterial. Un estudio reciente sugiere que las personas que toman alcohol fuera de las comidas tendrán un riesgo significativamente mayor de hipertensión, independientemente de la cantidad que consuman.

Además, está claro que al reducir el consumo de alcohol se puede reducir la presión arterial. Las personas que consumen mucho alcohol y que lo reducen a niveles moderados pueden disminuir la presión arterial sistólica cerca de 5 mm Hg y la presión diastólica cerca de 3 mm Hg.

Combinar una dieta saludable con una menor ingesta de alcohol puede producir incluso una mayor reducción —una caída de cerca de 10 mm Hg en la presión sistólica y de 7 mm Hg en la presión diastólica—. Una razón para este efecto es que las personas que consumen mucho alcohol no obtienen cantidades adecuadas de los minerales que ayudan a controlar la presión arterial, como potasio, calcio y magnesio.

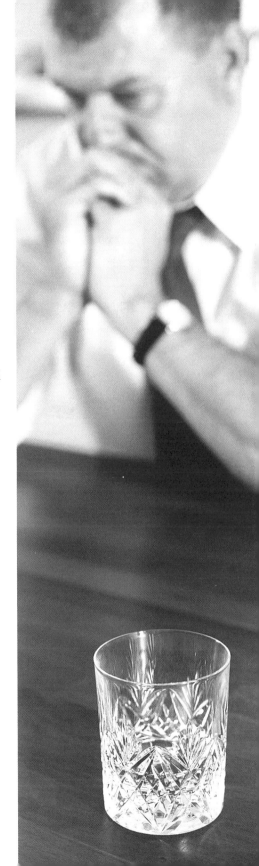

Las personas que toman medicamentos para la presión arterial y que limitan el consumo de alcohol tienden a ser más cuidadosas para tomar su medicamento. Cuando se está influenciado por el alcohol, se puede olvidar de tomar la medicina o tomarla de manera inadecuada.

Alcohol y medicamentos

Si toma medicamentos para la presión arterial, necesita poner atención cuidadosa al momento y la manera en que consume alcohol. El alcohol puede interferir con la efectividad de ciertos fármacos y aumentar sus efectos secundarios.

Si mezcla el alcohol con un betabloqueador, el cual relaja los vasos sanguíneos y hace más lenta la frecuencia cardiaca, podría sentirse mareado o débil —en especial si está acalorado o si se levanta súbitamente—.

Puede presentar los mismos síntomas si toma alcohol cerca del momento en el que toma un inhibidor de la enzima convertidora de la angiotensina (ECA), el cual relaja los vasos sanguíneos, o ciertos bloqueadores del canal de calcio, los cuales pueden reducir la frecuencia cardiaca. Si se siente mareado o débil, siéntese hasta que la sensación pase. Tomar agua también puede ayudar.

En general, cualquier fármaco que cause somnolencia no se debe tomar con alcohol. Lea la etiqueta del medicamento antes de que decida consumir alcohol. Y escuche a su cuerpo. Si se siente mareado o debilitado después de una copa o dos, hable con el médico acerca de cuánto alcohol puede beber y cuándo es el mejor momento en el cual lo puede hacer.

¿Qué hay acerca de la cafeína?

La cafeína es un estimulante suave que se encuentra en el café, té, refrescos y chocolate. Puede combatir la fatiga, reforzar la concentración y mejorar el estado de ánimo. Pero si consume mucha —algo que es fácil de hacer— la cafeína puede ponerlo ansioso, hacer que las manos tiemblen y posiblemente aumentar la presión arterial.

La cantidad de cafeína en dos o tres tazas de café —200 a 250 mg— ha mostrado elevar la presión arterial sistólica 3 a 14 mm Hg y la diastólica 4 a 13 mm Hg en personas sin hipertensión.

Si la cafeína tiene influencia en la presión arterial sigue siendo un tema actual de debate. Algunos estudios encontraron que las personas que consumen cafeína con regularidad a lo largo del día lo

? ¿Cómo puedo reducir mi ingesta de cafeína?

La cafeína puede ser formadora del hábito, por ello cualquier intento para suspender o reducir la cantidad que se consume normalmente puede ser un reto. Una disminución abrupta de la cafeína puede causar síntomas de abstinencia, como dolores de cabeza, fatiga, irritabilidad y nerviosismo. Estos síntomas se resuelven después de varios días.

Para adoptar nuevos hábitos con la cafeína, intente estos consejos:

- Reduzca gradualmente la cantidad de cafeína que consume. Por ejemplo, tome una lata menos de refresco o tome una taza más chica de café al día. Esto ayudará al cuerpo a acostumbrarse a los menores niveles de cafeína y, de esta manera, reducir los efectos de la abstinencia.
- Reemplace el café, té y refresco con cafeína con sus contrapartes descafeinadas. La mayoría de las bebidas descafeinadas se ven y saben igual.
- Cuando prepare té, deje el té en contacto con el agua por menos tiempo para reducir el contenido de cafeína. O elija tés de hierbas, los cuales no contienen este estimulante.
- Revise el contenido de cafeína en los medicamentos de venta sin receta que toma. Los medicamentos para el dolor pueden contener de 65 a 130 mg de cafeína por dosis. Cambie a versiones sin cafeína si es posible.

terminarán con una presión arterial promedio más alta que si no hubieran consumido nada de cafeína. Sin embargo, otros estudios reportan que los consumidores regulares de cafeína desarrollan una tolerancia al estimulante. Y después de un tiempo, a este nivel regular de consumo, los productos con cafeína no tienen mucho efecto en la presión arterial.

Entre las personas que no consumen cafeína de manera habitual o quienes consumen mayores cantidades de lo que solían hacer, la cafeína puede causar un aumento temporal pero intenso de la presión arterial. Es incierto qué es lo que causa este aumento en la presión arterial.

Algunos investigadores sugieren que la cafeína estrecha los vasos sanguíneos al bloquear los efectos de la adenosina, una hormona que ayuda a mantener abiertos los vasos. La cafeína también puede estimular a la glándula suprarrenal para liberar más cortisol y epinefrina.

Como precaución general, muchos médicos aconsejan que las personas con hipertensión limiten la ingesta diaria de cafeína a no más de dos tazas de café, cuatro tazas de té o dos a cuatro latas de refresco con cafeína para prevenir cualquiera de sus efectos.

Además, evite la cafeína poco antes de las actividades que, de manera natural, aumentan la presión arterial, como el ejercicio o la actividad física intensa. Limitar la cafeína también es bueno para la salud en general.

Recordatorio

Puntos clave a recordar:

- Si tiene presión arterial alta y fuma productos de tabaco, el riesgo de muerte por ataque cardiaco, insuficiencia cardiaca o ataque vascular cerebral es mucho más alto que si no fumara.
- Dejar de fumar comprende planeación y compromiso. Desarrolle su propio plan, con habilidades para lidiar con ello, apoyo social y estrategias para manejar los síntomas de la abstinencia de la nicotina.
- Para muchas personas, el consumo moderado de alcohol no parece afectar la presión arterial, pero el consumo excesivo puede tener importantes consecuencias para el sistema cardiovascular.
- El consumo de alcohol puede interferir con ciertos medicamentos para la presión arterial o aumentar sus efectos secundarios.
- La cafeína puede causar una elevación temporal, pero brusca, de la presión arterial, en particular entre las personas que no consumen cafeína de manera regular. Si tiene hipertensión, es aconsejable limitar la ingesta de cafeína.

Manejo del estrés

S i tiene una vida estresante, ¿tendrá una presión arterial correcta? Esta noción que se sostiene con frecuencia no es completamente cierta. Hay muchos individuos tipo A con presión arterial normal, igual que hay individuos tranquilos con presión arterial alta.

Es cierto que cuando está asustado o bajo un tiempo de entrega apretado, la presión arterial puede aumentar. Conforme se relaja, la presión arterial regresa a lo normal. Pero el estrés crónico, en situaciones que no son pasajeras, puede provocar presión arterial alta. Estudios muestran que las personas que son impacientes u hostiles —rasgos asociados con frecuencia con el estrés— son más susceptibles a desarrollar hipertensión.

Si tiene presión arterial alta, reducir el estrés podría no reducir la presión arterial por completo. Pero menos estrés es importante por otras razones:

Mejor control a largo plazo. Incluso incrementos temporales de la presión arterial originados por el estrés pueden hacer que la presión arterial alta sea más difícil de manejar. Con menos estrés, puede tener una mayor oportunidad de mantener un control efectivo.

Una actitud más positiva. El estrés puede desgastar su compromiso y motivación para controlar la hipertensión. Es más fácil ser físicamente activo, comer una dieta saludable, perder peso y limitar el alcohol cuando está más relajado y feliz.

Existen muchas maneras para manejar el estrés. Sería conveniente experimentar con métodos y técnicas diferentes hasta que encuentre maneras de aliviar el estrés que se ajusten a su estilo de vida y rutina diaria.

¿Qué es el estrés?

Piense en el estrés como un condimento. Muy poco condimento da como resultado una comida insípida. Demasiado condimento puede confundir los sabores o hacer que la comida sea incomible. Cuando usa la cantidad correcta, el condimento puede hacer de la comida una experiencia memorable.

El estrés funciona en la misma forma en la salud y bienestar. Necesita cierto estrés para mantener su vida interesante y desafiante, pero demasiado estrés puede agobiarlo. Lo importante es encontrar el equilibrio correcto.

Estrés positivo y negativo

El estrés es una parte normal de la vida diaria. Es lo que experimenta siempre que lidia con demandas que hacen que se sienta cierto grado de presión emocional o física y que retan la capacidad para lograrlas. Es importante saber que el estrés no son las demandas en sí (conocidas como estresantes) sino la forma en la que responde a ellas.

Estrés positivo. El estrés puede brindar sentimientos de excitación, oportunidad y cumplimiento. En estas circunstancias, se siente confiado y motivado. El estrés positivo lleva a los atletas a desempeñarse bien en una competencia. Otros ejemplos de estrés positivo podrían incluir trabajar para obtener un título, casarse, empezar un nuevo trabajo y tener un hijo.

Estrés negativo. El estrés lo puede hacer sentirse fuera de control o agobiado. Puede tener problemas para permanecer concentrado en la tareas diarias o sentirse aislado y "atrapado" por otros. Las relaciones familiares, los asuntos financieros, los plazos de trabajo y la mala salud son fuentes comunes de estrés negativo. El estrés mayor puede ser la suma resultante de muchas agravantes menores que se han acumulado con el tiempo.

Fisiológicamente el cuerpo tiende a responder a cualquier reto estresante en la misma forma. La manera en la que percibe tal reto es lo que hace que el estrés sea positivo o negativo para usted. Por lo tanto, el estrés es altamente individualizado. Lo que podría ser estresante para una persona podría no serlo para otra. Algunas personas se las arreglan bien con situaciones difíciles o tensas, mientras que otras se desvanecen bajo la presión. Por varios motivos, alguien que se las arregla bien con el estrés una semana puede tener problemas para sobrellevar un tipo similar de estrés durante la siguiente semana.

La respuesta al estrés

Trabajar apresuradamente para cumplir con la fecha de entrega, atorarse en el tráfico, discutir con la pareja —estas situaciones intensas pueden hacer que el cuerpo reaccione como si estuviera enfrentando una amenaza física—. La respuesta al estrés, que se conoce como respuesta de lucha y huida, pone al organismo en estado alerta. Da energía, velocidad, concentración y agilidad ya sea para cubrir el reto de frente (lucha) o para salirse del camino (huida).

Este fenómeno se puede presentar durante cualquier situación que se percibe —incluso de manera falsa —como peligrosa. En respuesta a la percepción de amenaza, una elevación de los niveles hormonales alista al organismo. Entre las hormonas están la epinefrina (adrenalina) y el cortisol, las cuales pueden hacer que el corazón lata más rápido y que la presión arterial se eleve.

¿Cuáles son los signos de alerta de estrés?

El estrés afecta todos los sistemas corporales y puede causar muchos signos y síntomas, pero algunos de los más comunes incluyen:

- Sentimientos de agobio o de enojo, frustración o ansiedad.
- Dolores de cabeza, de espalda o resfriados frecuentes.
- Insomnio u otros trastornos del sueño.
- Aumento del consumo de alcohol o medicamentos.
- Sentimientos de pena, desesperanza o depresión.
- Disminución del sentido del humor.
- Pérdida de interés en las actividades usuales.
- Periodos de llanto u otras reacciones emocionales.
- Falta de atención hacia la salud y apariencia física.

Sólo porque no presente ninguno de estos síntomas no quiere decir que no esté bajo estrés. Podría no reconocer los síntomas o podría tomar medicamentos que los enmascaren.

Se presentan otros cambios físicos: la respiración se acelera, la glucosa en sangre se eleva, y se envían más sangre y nutrientes al cerebro y músculos grandes. El cuerpo también libera químicos que hacen que la sangre se coagule más fácilmente. En un ataque físico, esto ayudaría a disminuir el sangrado de una herida.

El sistema nervioso también entra en acción. Las pupilas de los ojos se dilatan para aumentar la visión. Los músculos faciales se tensan para parecer más intimidante. Suda para enfriar el cuerpo.

La mente tiene formas de hacerle saber que está bajo demasiado estrés. Se puede desalentar fácilmente, poner irritable, cínico, emocional o incluso aislado. Todos estos sentimientos afectan la forma en la que piensa y actúa. Sin embargo, los cambios pueden algunas veces ser fáciles de pasarse por alto debido a que se desarrollan gradualmente y con poco aviso.

Los signos y síntomas de estrés no son tan fáciles de ignorar. Podrían incluir dolor de cabeza, malestar estomacal, insomnio, fatiga y enfermedades frecuentes. Se podría encontrar a sí mismo volviendo a hábitos nerviosos, como morderse las uñas o fumar. Podría refugiarse en el alcohol o las drogas.

Estrés y presión arterial
Las hormonas epinefrina y cortisol liberadas durante periodos de estrés intenso aumentan la presión arterial al estrechar los vasos sanguíneos y aumentar la frecuencia cardiaca. El aumento en la presión arterial causado por el estrés varía, dependiendo de qué tan intenso sea el factor estresante y de cómo el cuerpo lidia con el reto. En algunas personas, el estrés produce sólo un leve aumento de la presión arterial. En otras, el estrés puede producir saltos extremos en la presión arterial.

No obstante, los efectos del estrés en el cuerpo, por lo general, son temporales. Sin embargo, si de manera regular presenta niveles altos de estrés, los aumentos en la presión arterial pueden con el tiempo empezar a dañar las arterias, corazón, cerebro, riñones y ojos. Este efecto acumulativo del estrés pasa desapercibido hasta que la condición se manifiesta a sí misma como presión arterial alta persistente.

Estrategias para aliviar el estrés

Una cosa es ser consciente del estrés de la vida diaria; y otra es hacer algo acerca de ello.

El estrés se vuelve un problema cuando las demandas que se enfrentan amenazan con sobrepasar

El estrés y la salud

Se piensa que el estrés juega un papel en varias condiciones médicas. Cuando la frecuencia cardiaca aumenta, se coloca en un mayor riesgo de dolor en el pecho (angina) e irregularidades en el ritmo cardiaco (arritmia). Los aumentos de la frecuencia cardiaca y la presión arterial relacionados con el estrés también pueden desencadenar un ataque cardiaco o daño al músculo cardiaco o a las arterias coronarias. La proteína de coagulación sanguínea fibrina liberada cuando se está bajo estrés también representa un mayor riesgo de coágulos sanguíneos.

La hormona cortisol es liberada durante el estrés, y puede suprimir el sistema inmune. Existe evidencia de que esta supresión puede hacerlo más susceptible a enfermedades infecciosas, incluyendo infecciones virales respiratorias como resfriado o influenza.

El estrés también puede desencadenar dolores de cabeza y puede empeorar el asma y problemas intestinales. También puede interferir con la curación de heridas.

o exceder su capacidad para salir adelante. Para mantener el control en tiempos estresantes, intente esta estrategia de cuatro pasos:

Evalúe su estrés. Considere las circunstancias particulares que podrían haber causado una situación cuando se sienta agobiado o triste. Escriba estos factores en una lista. Tenga en mente que el estrés puede ser causado por factores externos —por ejemplo, relaciones familiares o eventos impredecibles— así como por factores internos —como actitudes negativas o expectativas irreales.

Examine los factores estresantes. Trate de identificar el problema desde su raíz. Después pregúntese a sí mismo "¿Cómo puedo cambiar esta situación?" o "¿Cómo puedo mejorar mi capacidad para salir adelante con estrés?" Una vez que sepa cuál es la raíz del estrés, puede tomar pasos para lidiar con él.

Evalúe sus necesidades y responsabilidades. Valore las actividades en su vida diaria y dé prioridad a las que son más importantes para usted. Determine las tareas a las que puede adaptarse o cambiar con más facilidad. Si se siente excedido, ¿puede delegar algunas de las tareas a otros o pedirles ayuda? ¿Puede decir no a responsabilidades nuevas?

Aprenda a relajarse. Desarrolle estrategias de manejo que le ayuden a relajarse cuando sienta que se está estresando. Las estrategias de reducción de estrés comprobadas incluyen el ejercicio, respiración relajada y técnicas de relajación muscular, así como simplemente aprender a reírse.

Los siguientes son lineamientos adicionales para lograr alivio del estrés.

Cambiar el estilo de vida

Hacer cambios simples a la rutina diaria a menudo puede reducir el nivel de estrés. Estos incluyen:

Organizarse. Prepare un programa escrito de sus actividades semanales, destacando las prioritarias. Este ejercicio le ayudará a reducir conflictos de tiempo, citas olvidadas y plazos de última hora. Programar las tareas importantes —en especial aquellas que parecen más estresantes— al momento del día que se sienta mejor.

Simplifique su programa. Trate de adoptar un ritmo más relajado. Valore sus compromisos de tiempo, y no se sienta culpable u obligado si dice no a solicitudes de trabajo o a invitaciones sociales que sabe que no puede manejar. Busque que otros le ayuden o delegue responsabilidades.

Alivie el estrés relacionado con el trabajo. La frustración de trabajo puede ser una fuente principal de estrés. Para aliviar la preocupación y la decepción, busque formas de optimizar su desempeño en el trabajo. Tómese tiempo para hacer trabajo de alta calidad, pero no busque la perfección. Muestre respeto por los otros y disposición para resolver conflictos con los compañeros de trabajo. Identifique habilidades que necesitará para las metas de su carrera a largo plazo y cree un plan para desarrollar esas habilidades.

Construya un colchón financiero. Trate de separar una parte de cada pago en una cuenta de ahorros o inversión de bajo riesgo. Tener fondos de reserva en el banco es

¿Cómo puede estar en control en situaciones estresantes?

Cuando está intentando manejar el estrés, considere una de las cuatro opciones que siguen cuando esté buscando una solución:

Evite. Mucho estrés innecesario puede simplemente evitarse. ¿No le gustan los atascamientos de tráfico? Salga de casa más temprano. ¿Odia esperar en la fila de la cafetería? Lleve su almuerzo. Ponga distancia física entre usted y una persona que le moleste.

Altere. Trate de cambiar la situación; de esa manera las cosas tendrán la posibilidad de ir mejor en el futuro. Pida a otros respetuosamente que cambien su conducta y esté dispuesto a hacer lo mismo. Maneje mejor su tiempo. Tome algunos riesgos.

Adáptese. Cambiar los estándares y las expectativas es una de las mejores maneras de salir adelante con el estrés. Vea su situación desde una nueva perspectiva. Piense más acerca de las cosas positivas en la vida y menos en las negativas. Enfóquese en el panorama general.

Acepte. Si no tiene opción mas que aceptar las cosas como son, trate de perdonar y sonreír. Hable con un amigo. Aprenda de sus errores.

una de las maneras de salir adelante con el estrés financiero no esperado; como la pérdida de trabajo, una disminución del salario o un gasto fuerte inesperado. Incluso si nunca se presenta una emergencia monetaria, saber que tiene un colchón financiero puede reducir la ansiedad.

Ejercicio. Además de ayudar en el control de la presión arterial y reducir el peso, el ejercicio también alivia las tensiones diarias y reduce los síntomas de depresión leve y ansiedad. La energía y optimismo que pueden ser resultado del ejercicio le ayudan a conservar la calma y pensar con claridad. Ejercítese 30 a 60 minutos la mayoría de los días de la semana.

Coma bien. El estrés y la sobrealimentación van de la mano.

Muchas personas cambian a alimentos fáciles de preparar con alto contenido calórico y graso cuando están pasando por un problema difícil o están en un punto de debilidad emocional. Si siente este impulso, trate de distraerse llamando a un amigo o dando una caminata. Cuando su mente está ocupada, el impulso puede irse rápidamente.

Un método saludable para comer incluye una amplia variedad de alimentos que saben bien y son fáciles de preparar. Esta dieta enfatiza las verduras, frutas y granos enteros, los cuales son muy nutritivos pero de bajo contenido calórico para su volumen —por lo tanto, lo satisfacen pero no le hacen aumentar su peso. Estos alimentos contienen antioxidantes, fibra dietética y otras sustancias que combaten enfermedades que ayudan a mantener los sistemas corporales trabajando bien.

Duerma bien. Cuando está descansado por un buen sueño durante la noche, es más capaz de lidiar con los problemas del siguiente día. Dormirse y despertarse a horas regulares todos los días puede ayudar a dormir mejor. Reduzca el ritmo de sus actividades nocturnas para establecer un ambiente tranquilo. Un ritual al irse a dormir, como leer o escuchar música, puede ayudar a conciliar el sueño.

Enderécese. Observe su postura y posición física cuando se sienta muy estresado. Puede encontrar que hunde los hombros, la respiración se hace superficial y está menos activo. El estrés puede causar que descuide su apariencia y evite a las personas.

La buena postura ayuda a aliviar dolores y molestias al colocar mínima tensión en los músculos y permitir que se mueva eficientemente. Póngase de pie con el peso en ambos pies, los hombros hacia atrás y los músculos del abdomen apretados. Mantenga su espalda bien apoyada cuando esté sentado. Adhiérase a sus rutinas regulares y tómese tiempo para un buen aseo personal.

Tome descansos ocasionales. Tome oportunidades para estirarse, caminar y relajarse durante su día regular. Tome vacaciones breves, incluso si son de un solo día o fin de semana, para dejar los problemas estresantes atrás. Realice pasatiempos y actividades recreativas que disfrute. El tiempo libre de calidad reduce el estrés y mejora su visión de la vida.

Mantenga relaciones sociales. Los amigos y familia pueden brindar una válvula de escape valiosa cuando necesite ventilar sus emociones. También le pueden dar aliento y un consejo estimulante. Sin embargo, trate de evitar confiar en individuos que tienden a ser negativos acerca de todo y que fomentan los malos sentimientos. Trate de rodearse de personas que lo apoyarán.

Cómo pensar positivamente

Estudios indican que una actitud optimista lo ayuda a salir adelante de las situaciones estresantes de mejor manera, probablemente al reducir los efectos que tiene el estrés en el cuerpo. Por otro lado, una visión pesimista puede hacer que sea mucho más difícil lidiar con aflicciones incluso menores.

Vigile la conversación consigo mismo. La corriente interminable de pensamientos que corren por su mente puede ser positiva o negativa. Puede reducir el estrés al aprender cómo detener pensamientos negativos y practicar pensamientos positivos. Por ejemplo, en lugar de decirse a sí mismo "No debo cometer nunca un error porque pareceré tonto", trate de pensar "Todos cometen errores; seré más cuidadoso la siguiente ocasión". Este enfoque puede hacer su visión más realista y autoafirmativa.

Maneje su enojo. Las frustraciones de cada día pueden hacer que su temperamento se encienda. Pero si su sangre hierve después de irritaciones incluso menores o si está rabiando constantemente, podría necesitar trabajar en lograr que su enojo esté bajo control. Enojarse en sí no es malo y, cuando se expresa adecuadamente, puede ser saludable. Pero el enojo que está fuera de control es destructivo, originando problemas en las relaciones, la salud y la capacidad de disfrutar de la vida.

¿Cómo se puede controlar el enojo? Piense con cuidado antes de decir algo de lo que se arrepentirá después. Tómese un tiempo —cuente hasta 10 antes de reaccionar o si puede abandone la situación por completo—. Encuentre formas de calmarse o de tranquilizarse a sí mismo. Exprese su enojo tan pronto como sea posible en una manera controlada de forma que no lo deje enojado. Y no guarde rencor.

Busque el humor. Reír es un estimulante natural —no sólo alivia la carga mental, en realidad induce reacciones físicas en el cuerpo—. Cuando se ríe, el corazón, los pulmones y los músculos son estimulados. Sólo 20 segundos de risa producen un intercambio de oxígeno que se iguala a cerca de tres minutos de ejercicio aeróbico. Reír también libera químicos en el cerebro, llamados endorfinas, que alivian el dolor y estimulan una sensación de bienestar. Si usa el humor para lidiar con los inconvenientes de una manera positiva, es menos susceptible de sentir compasión por sí mismo.

Programe su tiempo de preocupación. Apartar un tiempo para la resolución de un problema puede evitar que las preocupaciones se acumulen dentro de usted. Dedique un tiempo a diario para trabajar en la solución de problemas que están causando estrés y valore sus progresos en la resolución de ellos. Si se presenta una preocupación fuera del tiempo para preocuparse, escríbala y preocúpese por ella más tarde.

Aprender a relajarse

No todos el estrés se puede evitar. Hay ciertos eventos en la vida que no se pueden prevenir, como quedarse atorado en un atasco de tráfico inesperado. Pero puede reducir la carga emocional y física que estos eventos pueden representar.

Cuando se esté sintiendo estresado, tómese un momento para relajar su cuerpo y aclarar su mente. Los siguientes ejercicios están diseñados para ayudarlo a lograr esto. Sin embargo, tenga en mente que la relajación no se presenta automáticamente. Para que desarrolle esta habilidad, necesita practicarla a diario. Si no tiene éxito, consulte a un profesional calificado.

Respiración relajada. El estrés por lo general causa una respiración rápida, superficial desde el pecho, la cual sostiene otros aspectos de la reacción al estrés, como una rápida frecuencia cardiaca y transpiración. Se respira correctamente cuando está respirando profundo desde el diafragma, y el abdomen —no el pecho— se mueve con cada respiración.

Respirar profundo y lento desde el diafragma es más relajante. También intercambia más dióxido de carbono para que el oxígeno le dé más energía. Este tipo de respiración actúa en centros en el cerebro que reducen la presión arterial. Si puede controlar la respiración superficial y relajarse, los efectos del estrés agudo disminuirán (véase la página 180).

Un dispositivo médico llamado Resperate está diseñado para ayudar a reducir la presión arterial con la respiración profunda. El dispositivo incluye un sensor de respiración, audífonos y una pequeña unidad que se ve como un reproductor de CD portátil. Resperate analiza el patrón de respiración y después crea dos tonos melódicos distintivos para guiar la inhalación y la exhalación. Si está sincronizado con la melodía, puede hacer más lenta la respiración a menos de 10 respiraciones por minuto.

Para lograr una reducción duradera de la presión sistólica, necesitará usar Resperate durante aproximadamente 15 minutos varios días a la semana. Si deja de hacer los ejercicios de respiración, la presión sistólica se elevará otra vez.

Ejercicios de tensión muscular. La acumulación de tensión y estrés puede causar que los músculos se aprieten, en especial los hombros. Para aliviar la tensión, gire los hombros, elevándolos hacia las orejas. Después relaje los hombros.

Para reducir la tensión del cuello, mueva suavemente la cabeza en el sentido de las manecillas del reloj, después en sentido contrario. Para aliviar la tensión en la espalda y el torso, estírese hacia el techo y haga inclinaciones hacia los lados. Para la tensión de pies y piernas, haga círculos en el aire con los pies mientras flexiona los dedos.

La relajación muscular progresiva puede ayudar a reducir la tensión, la ansiedad y el estrés relacionados con condiciones como presión arterial alta y depresión. Empezando con los pies y ascendiendo a lo largo del cuerpo hacia la cabeza y el cuello, tense cada grupo muscular durante por lo menos cinco segundos y después relaje los músculos por más de 30 segundos. Repita antes de mover el siguiente grupo muscular.

Imaginación guiada. También conocida como visualización, este método de relajación se basa en memorias, sueños y fantasías para ver con el "ojo de la mente". Experimente un lugar pacífico con todos los sentidos, como si en realidad estuviera ahí, imaginando los sonidos, aromas, colores y sensaciones táctiles. Los mensajes que recibe el cerebro de esta visualización ayudan al cuerpo a relajarse. La investigación ha mostrado que estas imágenes mentales producen cambios

Tomar un respiro

Éste es un ejercicio para ayudarle a practicar respiración relajada.

1. Use ropas cómodas que estén holgadas en la cintura. Puede acostarse boca arriba o sentarse en una silla, como lo prefiera.

2. Acuéstese con los pies ligeramente separados, con una mano descansando en el abdomen y la otra mano en el pecho. Si está sentado coloque los pies sobre el piso, relaje los hombros y coloque las manos en su regazo o a los lados.

3. Inhale por la nariz, si puede, debido a que esto filtra y calienta el aire. Exhale por la boca.

4. Concéntrese en su respiración por unos minutos, después exhale suavemente la mayoría del aire dentro de los pulmones.

5. Inhale mientras cuenta lentamente hasta cuatro, más o menos un segundo por número. Conforme inhala, eleve ligeramente el abdomen cerca de 2.5 centímetros. Debe poder sentir el movimiento con la mano.

6. Conforme respira, imagine que el aire fluye a todas las partes del cuerpo, aportándole oxígeno que limpia y llena de energía.

7. Haga una pausa durante un segundo con el aire en los pulmones. Después exhale lentamente, contando hasta cuatro. Sentirá que el abdomen lentamente baja conforme el diafragma se relaja. Imagine la tensión que sale de usted.

8. Haga una pausa por un momento. Después repita este ejercicio por uno o dos minutos, hasta que se sienta mejor. Si presenta mareo, acorte la duración o la profundidad de la respiración.

fisiológicos, bioquímicos e inmunológicos en el cuerpo que impactan en la salud.

Meditación. En la meditación, se enfoca la atención en la respiración, o en repetir una palabra, frase o sonido con el fin de aclarar la mente de pensamientos que distraen. La mayoría de los tipos de meditación requieren cuatro elementos: un espacio tranquilo, una postura específica, concentración y una actitud abierta que permita que las distracciones lleguen y se vayan sin suprimirlas. En lugar de ello, sutilmente vuelve a concentrarse.

Se cree que la meditación lleva a un estado de relajación física y a un equilibrio psicológico. También ha mostrado afectar la reacción del cuerpo al estrés. Un estudio encontró que las personas con hipertensión que practicaron meditación fueron capaces de reducir la presión arterial y disminuir la frecuencia cardiaca.

Ayuda profesional

Algunas veces los problemas de la vida se acumulan y se tornan en más de lo que puede manejar con sus propios medios. Cuando se sienta agobiado por el estrés, considere obtener ayuda del médico o de un asesor de conducta calificado. Algunas personas piensan que buscar ayuda externa es un signo de debilidad. Nada podría

estar más lejos de la realidad. Se necesita fuerza de carácter para admitir que se necesita ayuda.

Aprender a controlar el estrés no garantizará que tendrá una presión arterial normal, una vida relajada y buena salud. Los problemas inesperados todavía se presentarán. Pero tener las herramientas para lidiar con el estrés puede hacer que estos problemas sean más fáciles de sobrellevar —y que la presión arterial sea más fácil de controlar—.

Recordatorio

Puntos clave a recordar:

- El estrés puede aumentar la presión arterial temporalmente y complicar la existencia de la presión arterial alta.
- Con el tiempo, los efectos físicos del estrés pueden ser dañinos para la salud y el bienestar.
- Aunque reducir el estrés puede no reducir por completo la presión arterial, sí puede hacer que la presión arterial sea más fácil de controlar.
- Los cambios en el estilo de vida, las técnicas de relajación y el apoyo profesional pueden ayudar a evitar o manejar mejor el estrés y reducir los riesgos de salud.

Tomar el medicamento correcto

Hacer cambios en el estilo de vida es una forma fundamental de controlar la presión arterial, por ejemplo; ajustar la dieta, hacer más ejercicio y dejar de fumar. Estas medidas se consideran la terapia de primera línea para la presión arterial, y se inician en la primera etapa de cualquier programa de tratamiento. A menudo, los cambios en el estilo de vida simplemente no son suficientes. Para alcanzar un nivel de presión arterial deseable, también se podría necesitar la ayuda de medicamentos.

En caso de hipertensión de estadio 2, se requiere medicamento para reducir más la presión arterial y más rápidamente que lo que cualquier cambio en el estilo de vida podría lograr. Si otras condiciones acompañan a la hipertensión, los medicamentos podrían también ser necesarios.

Los medicamentos para la presión arterial, conocidos como antihipertensivos, son una de las historias de mayor éxito en la medicina moderna. Son muy efectivos, y la mayoría de las personas no sienten sus efectos secundarios. Estos medicamentos pueden permitir que viva normalmente con la presión arterial controlada, pero también brindan beneficios al reducir el riesgo de otros aspectos de salud.

Hay varios tipos de medicamentos para la presión arterial, y cada clase la afecta de forma diferente. Si se prescribe un medicamento pero no reduce la presión arterial a un nivel seguro, el médico podría sustituirlo por un medicamento diferente o agregar otro a la prescripción que ya tiene. Dos o más medicamentos a dosis bajas en combinación pueden reducir la presión arterial igual o mejor que un medicamento solo a dosis completa. Además, usar dosis menores en las combinaciones de medicamentos puede producir menos efectos secundarios.

Encontrar el medicamento correcto —o combinación de medicamentos— puede tomar tiempo. Esto sucede en especial si tiene una condición en la cual se requiere una meta de menor nivel de presión arterial. Otros factores a considerar cuando se decide el mejor medicamento incluyen la edad y la salud en general, otros medicamentos que esté tomando, qué tan a menudo tome los medicamentos, cómo se siente cuando

los tome, y el costo total de los medicamentos. Lo que es importante es que trabaje con el médico para desarrollar un plan de tratamiento que sea tolerable, costo-efectivo y personalizado.

Muchas opciones

Las principales clases de medicamentos que se utilizan para controlar la presión arterial incluyen:

- Diuréticos
- Betabloqueadores
- Inhibidores de la enzima convertidora de la angiotensina (ECA)
- Bloqueadores del receptor de angiotensina II (BRA)
- Inhibidor de renina
- Bloqueadores del canal de calcio (calcioantagonistas)
- Alfabloqueadores
- Alfa-beta bloqueadores
- Agentes de acción central
- Vasodilatadores directos

Las siguientes secciones presentan los nombres de medicamentos en orden alfabético con el nombre genérico. Si tiene preguntas acerca de un medicamento, hable con el médico.

Diuréticos

Los diuréticos fueron introducidos por primera vez en la década de 1950, y todavía son algunos de los medicamentos utilizados con mayor frecuencia para reducir la presión arterial. Los diuréticos tienen dos ventajas principales sobre algunos de los otros medicamentos para la presión arterial. Primero, los diuréticos son los menos caros de todos los medicamentos para la presión arterial. Segundo, han probado repetidamente su efectividad a través de los años, por ejemplo, en el *Antihypertensive and Lipid-Lowering Treatment to Prevent Heart Attack Trial* (ALLHAT), publicado a finales de 2002. Los investigadores de ALLHAT encontraron que entre cerca de 33 000 personas mayores de 55 años, los programas de tratamiento basados en diuréticos fueron más eficaces que los de inhibidores de la ECA o de bloqueadores del canal de calcio en el control de la presión arterial alta y prevención de la enfermedad cardiovascular.

Comúnmente referidos como pastillas para orinar, los diuréticos reducen el volumen de líquido en el cuerpo. Señalan al riñón que excrete más sodio en la orina de lo que haría normalmente. El sodio se lleva el agua de la sangre. Este efecto significa que hay un menor volumen de sangre que circula por las arterias y, en consecuencia, menos presión sobre la pared de éstas.

Los diuréticos son el primer medicamento de elección para personas con hipertensión en estadio 1. Son altamente efectivos en personas de raza negra y en adultos mayores, quienes comúnmente son sensibles al sodio. Además, se usan con frecuencia en combinación con otros medicamentos.

Si toma un diurético, es importante que también limite el sodio y tome suficiente potasio en la dieta. Esto ayudará a que el medicamento funcione con más eficacia y con menos efectos secundarios.

Tipos de diuréticos

Hay tres tipos de diuréticos. Cada uno funciona afectando a las nefronas, las unidades de filtrado de los riñones.

Tiacidas. Los siguientes son diuréticos tiacídicos y diuréticos semejantes a tiacidas:
- Bendroflumetiacida
- Clorotiacida
- Clortalidona
- Hidroclorotiacida
- Indapamida
- Meticlotiacida
- Metolazona
- Politiacida

Además de controlar la presión arterial, los diuréticos tiacídicos brindan otros beneficios potenciales. Han mostrado reducir el riesgo de ataque vascular cerebral, ataque cardiaco e insuficiencia cardiaca en adultos mayores. También reducen la cantidad de calcio en la orina, por lo que hay menos calcio disponible para la formación de cálculos renales. Menos calcio en la orina significa que hay más de este mineral en la sangre, lo que ayuda a reducir el riesgo de osteoporosis y fractura de cadera.

De asa. Estos diuréticos son más poderosos que las tiacidas, eliminando una mayor cantidad de sodio de los riñones. También pueden eliminar más calcio, aunque una adecuada vigilancia puede prevenir complicaciones. El médico puede recomendar un diurético de asa si las tiacidas no son efectivas, en particular si tiene enfermedad renal crónica, o si tiene otras enfermedades que hacen que su cuerpo retenga líquidos.

Los diuréticos de asa incluyen:
* Ácido etacrínico
* Bumetanida
* Furosemida
* Torsemida

Ahorradores de potasio. Además de eliminar sodio de la sangre, los diuréticos tiacídicos y los de asa eliminan potasio. Los diuréticos ahorradores de potasio ayudan a que el cuerpo retenga el potasio necesario. Este tipo de medicamento se usa principalmente en combinación con otros diuréticos porque no son tan poderosos como las variedades tiacídicas y de asa. Cuando se toma con otros medicamentos, el diurético ahorrador de potasio espironolactona también reduce las muertes por insuficiencia cardiaca y es particularmente efectivo con la presión arterial alta resistente. Eplerenona es una versión mejorada de la espironolactona que parece tener menos efectos secundarios.

Los diuréticos ahorradores de potasio incluyen:
* Amilorida
* Eplerenona
* Espironolactona
* Triamtereno

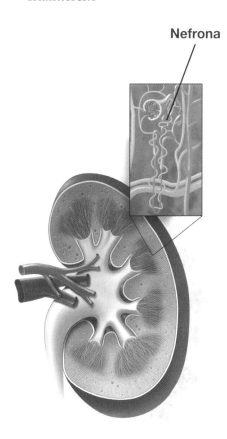

Nefrona

Los diuréticos y los riñones

Las nefronas son las unidades de filtración de los riñones —pequeños conglomerados de vasos sanguíneos y túbulos interconectados—. Cada órgano cuenta con cerca de un millón de ellas. Los diferentes tipos de diuréticos actúan en diferentes partes de la nefrona.

Efectos secundarios y precauciones

El efecto secundario más común de los diuréticos es aumento de la diuresis. Los diuréticos tiacídicos y de asa también pueden causar niveles bajos de potasio. Éste es el motivo por el cual se usan con un diurético ahorrador de potasio, inhibidor de la ECA, o BRA.

Los diuréticos tiacídicos pueden causar mareo en adultos mayores cuando se ponen de pie. También pueden causar impotencia en algunos varones, aunque esto es poco común. Además, las tiacidas en dosis altas pueden aumentar ligeramente la glucosa en sangre y los niveles de colesterol. También aumentan el nivel de ácido úrico en la sangre, lo cual en casos raros lleva al desarrollo de gota, un trastorno de las articulaciones.

Otra condición rara, conocida como hiponatriemia, incluye niveles bajos de sodio en la sangre. A menudo se presenta en adultos mayores que están tomando diuréticos tiacídicos y quienes toman demasiada agua. La hiponatriemia causa dolor de cabeza y confusión, y puede llevar a coma.

Los diuréticos de asa pueden algunas veces producir deshidratación. Los diuréticos ahorradores de potasio pueden elevar demasiado el nivel de potasio. Si tiene función renal alterada, no debe tomar un diurético ahorrador de potasio.

Betabloqueadores

Los betabloqueadores reducen la presión arterial al bloquear muchos de los efectos de la hormona epinefrina, también conocida como adrenalina. La acción de un betabloqueador hace que el corazón lata más lentamente y con menos fuerza, ayudando de esta forma a reducir la presión arterial.

Estos medicamentos también hacen que sea más lenta la liberación de la enzima renina por parte de los riñones. La renina está involucrada en la producción de una sustancia llamada angiotensina II, la cual constriñe los vasos sanguíneos y aumenta la presión arterial.

Al igual que los diuréticos, los betabloqueadores se han usado por muchos años y reducen la presión arterial en la mayoría de las personas que los prueba. Los betabloqueadores solos pueden no ser la primera elección para casos de hipertensión no complicada —una mejor opción podría ser en combinación o con otra opción de medicamento— pero son especialmente útiles si la hipertensión está acompañada de condiciones cardiovasculares como dolor en el pecho (angina), ritmo cardiaco irregular (arritmia), insuficiencia cardiaca o ataque cardiaco previo. Ayudan a controlar estas condiciones y reducen el riesgo de un segundo ataque cardiaco.

Los betabloqueadores funcionan especialmente bien en adultos mayores que tienen enfermedad cardiaca. Sin embargo, las personas de raza negra no responden tan bien como las de raza blanca cuando toman la mayoría de los tipos de betabloqueadores como medicamento único.

Estos medicamentos se desarrollaron originalmente para tratar la enfermedad coronaria, y se aprobaron más tarde para el tratamiento de la presión arterial alta después de que estudios encontraron que podían reducir la presión arterial. También se pueden usar para tratar glaucoma, migrañas, ansiedad, hipertiroidismo y algunos temblores.

Tipos de betabloqueadores

Los betabloqueadores pueden afectar al corazón (cardioselectivos) o al corazón y a los vasos sanguíneos (no cardioselectivos). Los fármacos cardioselectivos por lo general producen menos efectos secundarios. Los betabloqueadores utilizados para tratar la hipertensión incluyen:
- Acebutolol
- Atenolol
- Betaxolol
- Bisoprolol
- Carteolol
- Metoprolol
- Nadolol
- Penbutolol

- Pindolol
- Propranolol
- Timolol

Los medicamentos que combinan tanto bloqueo alfa como beta se presentan en la página 194.

Si tiene problemas hepáticos o renales, su elección de un betabloqueador puede estar limitada. Los betabloqueadores se degradan en el hígado, en los riñones o en ambos órganos. Por ejemplo, si los riñones no están funcionando de manera adecuada, un betabloqueador que normalmente se elimina por los riñones podría acumularse a niveles tóxicos.

Efectos secundarios y precauciones

Los betabloqueadores tienen efectos secundarios más frecuentes que otros medicamentos para la presión

arterial, los cuales pueden ser causa de preocupación. Sin embargo, muchas personas que toman los medicamentos sólo presentan molestias mínimas, o los efectos secundarios disminuyen con el tiempo.

Dos efectos secundarios notables son la fatiga y la menor capacidad para la actividad física extenuante. Otros efectos secundarios podrían incluir manos frías, problemas para dormir, impotencia, pérdida del deseo sexual, aumento del riesgo de diabetes, aumento ligero del nivel de triglicéridos y disminución ligera del colesterol de lipoproteína de alta densidad (colesterol HDL o "bueno").

Los betabloqueadores no son el tratamiento de primera elección si se es una persona activa o un atleta porque pueden limitar la capacidad de desarrollar al máximo las actividades físicas. Los medicamentos tampoco se recomiendan si existe asma o bloqueo grave en el sistema de conducción del corazón.

Inhibidores de la ECA

Los inhibidores de la enzima convertidora de la angiotensina (ECA) ayudan a reducir la presión arterial al evitar que la enzima produzca angiotensina II. Esta sustancia hace que los vasos sanguíneos se contraigan y estimula la liberación de la hormona aldosterona (véase la ilustración de los procesos en la página 24).

Limitar la acción de la enzima convertidora de la angiotensina también permite que otra sustancia llamada bradicinina —la cual mantiene dilatados a los vasos sanguíneos— permanezca en el torrente sanguíneo, reduciendo la presión arterial.

Los inhibidores de la ECA son una elección común entre los médicos para el tratamiento de la presión arterial alta porque son efectivos y producen pocos efectos secundarios. Entre las personas de raza negra, son más efectivos cuando se combinan con un diurético.

Los inhibidores de la ECA ofrecen beneficios más allá de la reducción de la presión arterial. Ayudan a prevenir y tratar la enfermedad cardiovascular, incluyendo enfermedad coronaria, hipertrofia ventricular izquierda, insuficiencia cardiaca y ataque vascular cerebral. También retrasan la progresión de la enfermedad renal y pueden proteger de la diabetes.

Los inhibidores de la ECA incluyen:
- Benazepril
- Captopril
- Enalapril
- Fosinopril
- Lisinopril
- Moexipril

- Perindopril
- Quinapril
- Ramipril
- Trandolapril

Efectos secundarios y precauciones

Los inhibidores de la ECA causan pocos efectos secundarios, pero algunas personas que los toman desarrollan una tos seca. Esto se presenta con más frecuencia en mujeres que en varones. En algunas personas, la tos puede ser persistente y lo suficientemente molesta para justificar un cambio a otro medicamento. Los inhibidores de la ECA también pueden elevar el nivel de potasio, lo cual puede ser peligroso si el nivel se eleva demasiado.

Otros posibles efectos secundarios podrían incluir exantema, alteración del sentido del gusto y reducción del apetito. Si tiene enfermedad renal grave, se debería usar un inhibidor de la ECA con precaución debido a que puede causar insuficiencia renal. No se recomienda en mujeres embarazadas o que planean embarazarse porque puede causar defectos congénitos. Rara vez —pero más común en personas de raza negra y en fumadores— el medicamento puede causar pequeñas áreas de hinchazón en tejidos (angioedema). Esto puede ser una condición potencialmente riesgosa para la vida si el edema se presenta en la garganta, obstruyendo la respiración.

Bloqueadores del receptor de angiotensina II

Como su nombre lo indica, los bloqueadores del receptor de la

Temo por los efectos secundarios del medicamento; ¿Qué puedo hacer?

El hecho de que ciertos efectos secundarios estén relacionados con un medicamento no garantiza que los presentará. Estos signos y síntomas, por lo general, se reportan en un pequeño número de usuarios. Platique cualquier preocupación que tenga con el médico. Hay formas de probar su reacción al medicamento; por ejemplo, empezar con una dosis baja y elevarla gradualmente. También, muchos efectos secundarios tienden a remitir después de poco tiempo de uso.

angiotensina II (BRA) bloquean la acción del químico angiotensina II —mientras que los inhibidores de la ECA bloquean la formación de angiotensina II (véase la página 24)—.

Los bloqueadores del receptor de angiotensina II también son diferentes de los inhibidores de la ECA en que no afectan los niveles de bradicinina en el torrente sanguíneo.

Estudios indican que los BRA son casi tan efectivos como los inhibidores de la ECA en el tratamiento de la presión arterial alta y la insuficiencia cardiaca. También han demostrado ser más efectivos en el tratamiento de la insuficiencia renal avanzada. Los BRA se pueden usar para tratar la enfermedad cardiovascular, incluyendo enfermedad coronaria y ataque vascular cerebral. Brindan el beneficio extra de rara vez causar tos seca.

Los bloqueadores del receptor de angiotensina II incluyen:
- Candesartán
- Eprosartán
- Irbesartán
- Losartán
- Olmesartán
- Telmisartán
- Valsartán

Efectos secundarios y precauciones

Los efectos secundarios son poco comunes, pero en algunas personas los BRA pueden causar mareo,

congestión nasal, diarrea, indigestión e insomnio. En casos raros el medicamento puede causar hinchazón localizada en tejidos (angioedema).

Al igual que los inhibidores de la ECA, estos medicamentos se deben tomar con precaución si tiene enfermedad renal grave, y no se deben tomar en absoluto en mujeres embarazadas o que planean embarazarse.

Inhibidor de la renina

En 2007, la *Food and Drug Administration* (FDA) anunció su aprobación de aliskirén como tratamiento para la hipertensión. Aliskirén reduce la capacidad de la enzima renina para iniciar el proceso que produce angiotensina II. El medicamento afecta el proceso a una etapa mucho más temprana que otros medicamentos (véase la página 24).

Varios estudios han demostrado la efectividad de aliskirén, aunque los resultados indican que las personas de raza negra tienden a tener reducciones más modestas en la presión arterial que las de raza blanca. Los resultados también muestran que el medicamento es más efectivo cuando se usa en combinación con otros medicamentos, en especial con un diurético.

Los efectos secundarios son poco comunes, pero incluyen diarrea y una reacción alérgica que causa hinchazón de la cara y dificultad para respirar. No debe usarse aliskirén en mujeres embarazadas o que contemplen embarazarse.

Bloqueadores del canal de calcio

Los bloqueadores del canal de calcio —también llamados antagonistas del calcio— funcionan afectando a las células musculares en las paredes de las arterias. Estas células musculares contienen pequeños pasajes en sus membranas llamados canales de calcio. Cuando el calcio que viaja por el torrente sanguíneo fluye hacia ellas, las células musculares se contraen y las arterias se constriñen. Los bloqueadores del canal de calcio evitan que el calcio entre a las células al bloquear los canales.

Sin embargo, los medicamentos no afectan los niveles de calcio utilizados en el cuerpo para construir hueso y mantener el sistema musculoesquelético.

Los bloqueadores del canal de calcio son efectivos y generalmente bien tolerados. Pueden funcionar mejor en personas de raza negra que medicamentos como los betabloqueadores, inhibidores de la ECA y bloqueadores del receptor de angiotensina II.

Algunos bloqueadores del canal de calcio tienen el beneficio agregado de reducir la frecuencia cardiaca, disminuyendo potencialmente la presión arterial, aliviando la angina y controlando el latido cardiaco irregular. También pueden ayudar a prevenir migrañas y la enfermedad de Raynaud, la cual afecta la circulación de sangre en las manos y pies.

Tipos de bloqueadores del canal de calcio

Los dos tipos de bloqueadores del canal de calcio están determinados por la duración del tiempo en que estos medicamentos son efectivos en el sistema circulatorio:

De acción corta. Este tipo de bloqueador del canal de calcio reduce la presión arterial muy rápido, aproximadamente en media hora. Pero el efecto dura sólo pocas horas.

Los bloqueadores del canal de calcio de acción corta no se recomiendan para tratar la presión arterial alta crónica porque se requeriría que el medicamento se tomara tres o cuatro veces al día. Esto, por lo general, da como resultado un mal control de la presión arterial. Algunos estudios han relacionado las formas de acción corta con mayor riesgo de ataque cardiaco y muerte cardiaca súbita.

De acción larga. Estos medicamentos se absorben en el

cuerpo a una velocidad mucho menor que los de acción corta. Aunque les toma más tiempo reducir la presión arterial, la controlan por un periodo más largo.

Estudios que combinan datos provenientes de investigaciones aleatorias han encontrado que los bloqueadores del canal de calcio de acción larga no son tan efectivos como los diuréticos o los betabloqueadores en el control de la presión arterial. En comparación con los inhibidores de la ECA, los bloqueadores del canal del calcio son menos efectivos en la reducción de ataques cardiacos e insuficiencia renal, pero son más eficaces en la reducción del ataque vascular cerebral.

El estudio *Antihypertensive and Lipid-Lowering Treatment to Prevent Heart Attack Trial* (ALLHAT), referido anteriormente, confirmó que los diuréticos fueron más efectivos que los bloqueadores del canal de calcio en la reducción de la presión arterial y prevención de insuficiencia cardiaca.

Los varios bloqueadores del canal de calcio de acción larga utilizados para el tratamiento de la presión arterial alta incluyen:
- Amlodipina
- Diltiacem*
- Felodipina
- Isradipina
- Nicardipina
- Nifedipina

- Nisoldipina
- Verapamil*

Estos medicamentos también reducen la frecuencia cardiaca y son útiles en el tratamiento de ciertas arritmias cardiacas y angina, y en la prevención de un segundo ataque cardiaco y migrañas.

Efectos secundarios y precauciones

Los posibles efectos secundarios incluyen estreñimiento, dolor de cabeza, frecuencia cardiaca alta, exantema, pies y parte inferior de las piernas hinchados, y encías hinchadas.

No debe consumir toronja, jugo de toronja, o naranjas agrias si está tomando felodipina, nifedipina, nisoldipina o verapamil. Una sustancia en el jugo de estas frutas parece alterar la degradación (metabolismo) de los bloqueadores del canal de calcio, haciendo que el medicamento se acumule en el cuerpo y se vuelva tóxico.

Alfabloqueadores

Los alfabloqueadores reducen la presión arterial al reducir el efecto de la hormona norepinefrina (noradrenalina), la cual estimula a los músculos en las paredes de las arterias más pequeñas. Como resultado, las paredes no se estrechan (constriñen) tanto como lo harían normalmente. Para los varones mayores con problemas de la próstata, los alfabloqueadores también mejoran el flujo de la orina y reducen el número de despertares por la noche para ir al baño.

Los alfabloqueadores se utilizan para tratar la presión arterial alta durante más de dos décadas. Ya no se prescriben solos como monoterapia, en su lugar se prefiere la combinación con otros medicamentos para la presión arterial alta.

El *National Heart, Lung, and Blood Institute* (NHLBI) recomienda que las personas que toman alfabloqueadores deben consultar al médico acerca de los beneficios y desventajas de usar este tipo de medicamentos.

Los alfabloqueadores, disponibles en presentación de acción corta y acción prolongada incluyen:
• Doxazosina, un medicamento de acción prolongada
• Prazosina, un medicamento de acción corta
• Terazosina, un medicamento de acción prolongada

Efectos secundarios y precauciones

Estos medicamentos, por lo general, son bien tolerados. Sin embargo, cuando se empieza a tomar el medicamento o si el paciente es mayor, pueden causar mareo o desvanecimiento cuando el sujeto se pone de pie. Esto se debe a que los alfabloqueadores reducen el tiempo que tarda el cuerpo para

Alfa-betabloqueadores

Ciertos medicamentos combinan los efectos de un alfabloqueador y de un betabloqueador. Los alfa-betabloqueadores como carvedilol y labetalol son capaces de reducir la presión arterial al disminuir, de manera eficaz, la frecuencia cardiaca y relajar las paredes arteriales. Son necesarias las mismas precauciones que para los betabloqueadores y los alfabloqueadores. Los posibles efectos secundarios incluyen fatiga, vahídos, mareo, latidos cardiacos lentos, aumento de la glucosa en sangre y sequedad de ojos.

responder a los cambios naturales en la presión arterial cuando se mueve de una posición sentada o acostada a una posición de pie. Otros posibles efectos secundarios incluyen dolor de cabeza, palpitaciones, náusea y debilidad.

Agentes de acción central

A diferencia de otros medicamentos para la presión arterial que actúan principalmente en el corazón y los vasos sanguíneos, los agentes de acción central trabajan en el sistema nervioso. Evitan que los centros cerebrales manden señales a los nervios para acelerar la frecuencia cardiaca y constreñir los vasos sanguíneos. Como resultado, el corazón no bombea tan rápido y la sangre fluye más fácilmente a través de las arterias.

Estos medicamentos, también llamados inhibidores adrenérgicos centrales, no se usan tan a menudo como antes porque pueden producir efectos secundarios potentes. Sin embargo, todavía se prescriben en ciertas circunstancias. El médico podría recomendar un agente de acción central para reducir los síntomas si está propenso a ataques de pánico, tiene bochornos o incidentes de disminución de glucosa en sangre, o si tiene síntomas de abstinencia al alcohol o a las drogas.

Un agente de acción central, clonidina, está disponible como un parche cutáneo, el cual es útil si tiene problemas para tomar pastillas. Otro agente, metildopa, a menudo se recomienda para mujeres embarazadas con hipertensión para reducir los riesgos en ellas y en el bebé.

Los agentes de acción central incluyen:
• Clonidina
• Guanabenz
• Guanadrel*
• Guanfacina
• Metildopa
• Reserpina*

Medicamentos que funcionan principalmente en el sistema nervioso periférico fuera del cerebro.

Efectos secundarios y precauciones

Estos medicamentos pueden producir fatiga extrema, somnolencia, mareo o sedación. También pueden producir impotencia, boca seca, aumento de peso, alteraciones del pensamiento y problemas psicológicos, incluyendo depresión.

Suspender el uso de algunos agentes de acción central puede causar que la presión arterial se incremente muy rápido a niveles peligrosamente altos. Si se presentan efectos colaterales y se quiere suspender el medicamento, se debe consultar al médico acerca de cómo reducir su uso de manera gradual.

Vasodilatadores directos

Estos potentes medicamentos se usan principalmente para tratar la presión arterial alta que no responde bien a otros medicamentos. Funcionan directamente en los músculos de las paredes arteriales, evitando que las arterias se estrechen.

Los vasodilatadores directos incluyen:
- Hidralacina
- Minoxidil

Efectos secundarios y precauciones

Los efectos secundarios comunes incluyen latido cardiaco rápido, mareo y retención de líquidos —ninguno de los cuales es deseable si existe hipertensión—. Ésta es la

Trabajando en combinación

Se pueden mezclar dos medicamentos en la misma tableta o cápsula. Ejemplos de estos medicamentos combinados se presentan a continuación.

Combinaciones de betabloqueador y diurético:

- Atenolol y clortalidona
- Bisoprolol e hidroclorotiacida
- Metoprolol e hidroclorotiacida
- Nadolol y bendroflumetiacida
- Propranolol e hidroclorotiacida

Combinaciones de inhibidor de la ECA y diurético:

- Benacepril e hidroclorotiacida
- Captopril e hidroclorotiacida
- Enalapril e hidroclorotiacida
- Lisinopril e hidroclorotiacida

razón por la cual los médicos prescriben los vasodilatadores directos con un betabloqueador y un diurético, lo cual puede reducir la incidencia de estos síntomas. Otros efectos secundarios podrían incluir problemas gastrointestinales, dolor de cabeza, congestión nasal e hinchazón de las encías. Tomar minoxidil también puede dar como resultado excesivo crecimiento de vello. La hidralacina a dosis altas puede aumentar el riesgo de lupus, un trastorno autoinmune que afecta al tejido conectivo.

Terapia de combinación de medicamentos

Aproximadamente la mitad de las personas con hipertensión en estadio 1 pueden controlarla con sólo un medicamento. Si éste no es efectivo, el médico puede aumentar la dosis, siempre que no esté presentando ningún efecto secundario importante, o intentar con un medicamento completamente

Combinaciones de BRA y diurético:

- Losartán e hidroclorotiacida
- Valsartán e hidroclorotiacida

Combinaciones de dos diuréticos:

- Amilorida e hidroclorotiacida
- Espironolactona e hidroclorotiacida
- Triamtereno e hidroclorotiacida

Combinaciones de bloqueador del canal de calcio e inhibidor de la ECA:

- Amlodipina y benazepril
- Felodipina y enalapril
- Verapamil y trandolapril

Combinación de BRA y bloqueador del canal de calcio:

- Valsartán y amlodipina

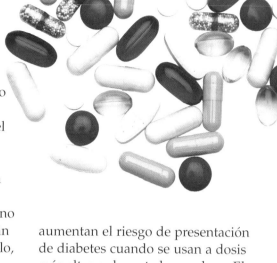

diferente. Otra opción que el médico podría considerar es agregar un segundo medicamento al que ya está tomando —un método conocido como terapia combinada—.

Al usar una combinación de dos o más medicamentos, los médicos pueden normalmente aumentar el número de personas que responden, de manera positiva, a los medicamentos para la presión arterial alta. El médico busca dos medicamentos que fortalecerán uno con otro su efectividad o reducirán los efectos secundarios; por ejemplo, combinar un diurético tiacídico —el cual puede reducir el nivel de potasio— con un diurético ahorrador de potasio, el cual retiene el mineral.

Un ejemplo diferente es el medicamento combinado que une amlodipina (un bloqueador del canal de calcio), con atorvastatina (una estatina utilizada para tratar el colesterol alto). Debido a que la presión arterial alta y el colesterol alto a menudo están presentes en el mismo individuo, ambos trastornos se pueden tratar, de manera conveniente, con un solo medicamento.

Otro beneficio de los medicamentos combinados es que se pueden usar a dosis más bajas. Por ejemplo, ciertos medicamentos para la presión arterial, como los diuréticos tiacídicos y los betabloqueadores,

aumentan el riesgo de presentación de diabetes cuando se usan a dosis más altas o durante largo plazo. El uso de estos medicamentos a dosis más bajas en combinación con otro medicamento puede neutralizar este riesgo, en especial si el potasio se mantiene normal, en el control de la presión arterial alta.

Si después del inicio de la terapia usando un medicamento, la presión arterial sigue excediendo la meta por más de 20/10 mm Hg —lo cual incluiría a todos los individuos con hipertensión en estadio 2— el médico podría iniciar una nueva terapia combinando dos medicamentos, usualmente un diurético y el medicamento inicial. (Por lo general, si un diurético no es el primer medicamento prescrito, es el segundo que se utiliza en combinación.)

Si tiene otra condición médica y la meta de presión arterial es menor de 130/80 mm Hg, podría necesitar tres o más medicamentos. Para más información acerca de estas condiciones, véase el Capítulo 5.

Medicamentos de emergencia

Si la presión arterial alcanza un nivel peligrosamente alto, podría ser necesario reducirla rápido para evitar un daño importante a los órganos e incluso la muerte. Otros riesgos incluyen ataque cardiaco, insuficiencia cardiaca, ataque vascular cerebral, ceguera súbita o una rotura en la pared de la aorta.

Durante las emergencias de presión arterial, los médicos inyectan un medicamento antihipertensivo directamente en el torrente sanguíneo. El propósito es reducir la presión arterial en etapas progresivas y controladas. Reducir la presión arterial muy rápido puede tener consecuencias importantes, incluso fatales.

El paso inicial es reducir 25 por ciento la presión arterial dentro de los primeros minutos a 2 horas. Una vez que la presión se redujo 25 por ciento, la meta es reducir la presión arterial a cerca de 160/100 milímetros de mercurio (mm Hg) dentro de 6 horas.

Los medicamentos inyectables utilizados en emergencias incluyen:

- Vasodilatadores, como fenoldopam, clorhidrato de nicardipina, nitroglicerina, nitroprusiato de sodio e hidralacina.
- Alfa y betabloqueadores como fentolamina, esmolol y labetalol.
- El inhibidor de la ECA enalaprilat.

Cómo encontrar el medicamento correcto

Debido a las múltiples variables que pueden afectar la presión arterial, encontrar el medicamento o la combinación correcta es un proceso de ensayo-error. Esto se debe a que el médico debe considerar la constitución fisiológica única de cada persona, el estilo de vida y las conductas saludables, y probar el impacto de ambientes diferentes y siempre cambiantes.

No obstante, casi todos los que toman medicamentos para la presión arterial con el tiempo son capaces de encontrar un régimen farmacológico que ayudará a lograr su meta. Estos medicamentos permitirán al individuo sentirse mejor y desarrollar al máximo las actividades físicas; y producirán menos, si es que alguno, efectos secundarios. Además de la eficacia del medicamento para reducir la presión arterial y reducir los riesgos de salud, el médico también considerará:

La tolerancia al medicamento. Si tomar ciertos medicamentos produce efectos secundarios que son molestos para soportarlos, como impotencia o dolor de cabeza, es probable que entonces no sea el mejor medicamento para usted. De hecho, los efectos secundarios podrían ser menos tolerables que la presión arterial alta —la cual no produce síntomas—.

Pero no deje de tomar el medicamento sin la guía del médico. Algunos fármacos necesitan reducirse gradualmente para evitar un rebote de la presión arterial alta.

El cumplimiento con la prescripción. Si cierto medicamento es difícil de tomar y se tiene una agenda ocupada, podría olvidar tomarlo o simplemente decidir saltarse una dosis. Debido a que es vital que tome el medicamento en la manera adecuada y en horarios correctos, el fármaco que el médico prescribe debe ser capaz de ajustarse a su estilo de vida. En la mayoría de los casos, es posible encontrar un medicamento o combinación que se tome sólo una vez al día.

La capacidad para pagar el medicamento. Un medicamento no le hace ningún bien si no lo puede tomar con regularidad porque no lo puede pagar. Hágale saber al médico si no puede pagar la medicación. Note que muy a menudo con los medicamentos combinados podría pagarse menos cuando se renueva la prescripción.

? ¿Cómo puedo reducir los costos de mis medicamentos?

Seguir un programa de estilo de vida saludable puede reducir el número de medicamentos o la dosis requerida para lograr y mantener las metas de presión arterial. A menudo, después de que los medicamentos han ayudado a controlar la presión arterial por algunos meses, podría ser posible reducir lentamente la dosis —pero esto debe hacerse sólo bajo la guía del médico. Hable con el médico acerca de medicamentos genéricos equivalentes. Podría también ser posible recibir ayuda del fabricante para disminuir el costo del medicamento. Para más información acerca de ahorros en costos, véase el Capítulo 4.

En el horizonte

Más allá de la influencia que tienen en el riesgo de enfermedad, los genes pueden afectar la manera en la que responde a los medicamentos, incluyendo la terapia medicamentosa para la presión arterial alta. Si la prometedora investigación genética es exitosa, podría llevar al desarrollo de nuevos medicamentos.

Esta investigación también ayuda con las decisiones acerca del programa de tratamiento. Al saber la constitución genética, el médico puede hacer una mejor selección de medicamentos para ajustarse a sus necesidades y determinar el tipo de medicamento que tiene más probabilidad de ser efectivo y favorable para usted.

Por ejemplo, un equipo de investigadores, en el que se incluye a médicos de la Clínica Mayo, han identificado un gen (GNB3) que podría tener un papel importante en la forma en que las personas responden a la acción de ciertos diuréticos. Han descubierto que personas con un variación genética respondieron mejor a los medicamentos y tuvieron presión arterial más baja que las personas con otra variación del gen.

Otros investigadores de la Clínica Mayo actualmente estudian las bases genéticas para la sensibilidad a la sal. Están buscando las razones por las cuales la presión arterial se afecta por el sodio de la dieta en algunas personas y en otras no. Debido a que la sensibilidad a la sal se presenta en familias, los investigadores están intentando encontrar cuáles genes podrían manejar esta variabilidad.

Nuevos medicamentos para la presión arterial continuamente se están desarrollando, probando y lanzándose al mercado. Nebivolol es un medicamento que en la actualidad está bajo revisión. Es un nuevo tipo de betabloqueador que es cardioselectivo —ayuda a regular la frecuencia cardiaca y la reduce— pero también tiene cualidades que son no cardioselectivas —afecta el sistema circulatorio al dilatar los vasos sanguíneos, lo cual permite que la sangre fluya con menos fuerza—.

También en camino está una nueva clase de medicamentos conocidos como antagonistas del receptor de endotelina. Estos son compuestos muy fuertes que relajan los vasos sanguíneos, reduciendo la presión arterial. Ambrisentán es un medicamento de esta clase que fue aprobado en 2007 para el tratamiento de la hipertensión arterial pulmonar.

Otro medicamento, darusentán, está moviéndose a la Fase 3 de estudio clínico para el tratamiento de la hipertensión resistente, la cual es presión arterial alta que es difícil de controlar, incluso después de tratamiento prolongado con medicamentos.

Está en estudio un dispositivo implantable diseñado para ayudar a las personas con hipertensión resistente grave. El *Rheos Baroreflex Hypertension Therapy System* incluye generadores del pulso que se implantan en las arterias carótidas —las dos arterias principales que llevan la sangre del corazón al cerebro—. Los generadores de pulso estimulan a los barorreceptores localizados en las arterias (véase la página 23), los cuales señalan al cerebro que ajuste la presión arterial a un rango dentro de lo normal. Este dispositivo todavía no está aprobado para su venta.

Recordatorio

Puntos clave a recordar:

- Los medicamentos pueden ser necesarios si los cambios en el estilo de vida no son efectivos, tiene hipertensión en estadio 2 o tiene otra condición médica que se podría beneficiar con el uso de fármacos.

- Mientras que muchas personas pueden controlar la presión arterial con sólo un medicamento, otras necesitan una combinación de dos o tres.

- A menudo se prescribe un diurético, un inhibidor de la ECA o un bloqueador del canal de calcio para la hipertensión no complicada debido a su éxito comprobado. Los betabloqueadores se están usando menos ahora que antes como un medicamento único para la presión arterial alta, pero más en ciertas condiciones que podrían acompañar a este trastorno.

- La mayoría de las personas que toman medicamentos para la presión arterial presentan sólo mínimos efectos secundarios.

- Encontrar el medicamento o la combinación de medicamentos correcta para controlar la presión arterial es un proceso que requiere tiempo y paciencia.

Parte 3

Cómo mantenerse saludable

Capítulo 4

Vivir bien con hipertensión

L a presión arterial alta no es una enfermedad que se pueda tratar y después ignorar. Es una condición que necesitará manejar por el resto de su vida.

Algunas veces esto puede ser difícil debido a que con la presión arterial alta, no se siente o ve nada que esté mal. Con muchas enfermedades, como la artritis o las alergias, los síntomas motivan a tratar la condición. Se siente el dolor estallante y la rigidez de las articulaciones artríticas o se presentan estornudos y comezón en los ojos en un ataque de alergia. Está motivado a atender la enfermedad porque quiere que estos síntomas molestos se vayan.

La falta de síntomas es el motivo por el cual las personas con hipertensión a menudo no dan los pasos adecuados para tratar la enfermedad. También es el motivo por el que en EUA sólo cerca de un tercio de las personas con presión arterial alta tienen la condición bajo control.

Muchos otros pueden creer que no tienen nada de qué preocuparse. A pesar del buen consejo médico, siguen con sus ocupaciones cotidianas, y el hecho de cumplir o no con el programa de tratamiento no parece influir en lo más mínimo —hasta que el daño orgánico y las complicaciones importantes se han presentado—. Éste es el motivo por el cual la presión arterial alta a menudo se llama "la asesina silenciosa".

Participar en la atención a su salud y manejo de la hipertensión —midiendo la presión arterial en casa, tomando los medicamentos, de manera adecuada, manteniendo una dieta saludable así como un programa de ejercicios, programando visitas regulares al médico —es esencial. Estos esfuerzos pueden aumentar de manera significativa las probabilidades de tener una vida más larga y más saludable, a pesar de la hipertensión.

Cómo medir la presión arterial en casa

El consultorio del médico no es el único lugar para medir la presión arterial. A menudo se requiere que lo haga usted mismo en casa. La monitorización en casa le permite dar seguimiento a la presión arterial en circunstancias cotidianas muy independientes del consultorio del médico o de una visita al hospital. El registro que compile es a menudo una contribución vital para el programa que se ha desarrollado para tratar su presión arterial.

Si la presión arterial está bien controlada, sólo podría necesitar revisarla en casa unos días cada mes. Tome dos lecturas en la mañana y dos en la noche en el día que esté trabajando, y dos pares de lecturas en el día que esté descansando. Si está empezando la monitorización en casa, si está haciendo cambios en los medicamentos, o si tiene otros

problemas de salud, podría necesitar revisarla con más frecuencia.

Los lineamientos del *National Heart, Lung, and Blood Institute* (véanse páginas 77 a 80) recomiendan que mantenga la presión sistólica por debajo de 140 milímetros de mercurio (mm Hg) y la diastólica por debajo de 90 mm Hg.

Pero la presión arterial en casa es por lo general ligeramente menor que en el consultorio o en el hospital, cerca de 5 puntos. Por lo tanto, las lecturas en casa deben

tener un promedio de presión sistólica por debajo de 135 mm Hg y un promedio de presión diastólica por debajo de 85 mm Hg. Si se establece una meta menor para la presión arterial en el consultorio, hable con el médico acerca de cuál debe ser la meta en casa.

Beneficios de la monitorización en casa

Medir la presión arterial en casa puede ayudar a:

Seguir el progreso del tratamiento. Debido a que la hipertensión no

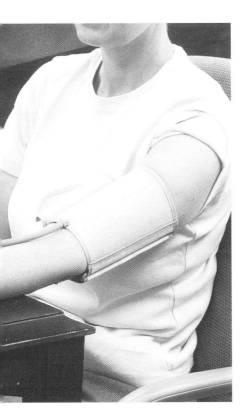

tiene síntomas, la única forma de asegurarse de que los cambios en el estilo de vida o los medicamentos están funcionando es revisar la presión arterial con regularidad. Monitorizar la presión arterial en casa brinda información vital entre las consultas que puede compartir con el médico.

Promover un mejor control. Tomar la responsabilidad de medir la presión arterial tiende a motivar en otras áreas del programa. Puede dar un incentivo adicional para llevar una mejor dieta, aumentar el nivel de actividad y tomar el medicamento de manera adecuada.

Identificar la presión arterial usual. Para algunas personas, el simple hecho de ir al consultorio del médico hace que la presión arterial aumente temporalmente a un nivel más alto. Para otros sucede lo contrario —la presión arterial disminuye durante las citas con el médico (véase página 68)—. La monitorización en casa puede ayudar a identificar o confirmar la presión arterial usual.

Ahorrar dinero. La monitorización en casa evita el costo de ir con el médico cada vez que necesite medir la presión arterial. Esto sucede en particular cuando empieza a tomar medicamentos o el médico ajusta la dosis. Con estos cambios, las mediciones frecuentes ayudan a asegurar un mejor control.

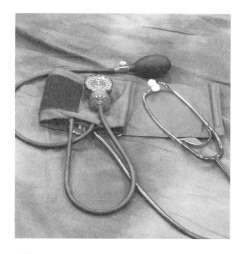

Monitor aneroide

Los monitores de presión arterial aneroides incluyen un brazalete, un bulbo de hule para inflar el brazalete, un estetoscopio para escuchar el pulso, y un medidor en el cual se lee la presión.

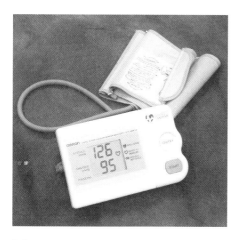

Monitor electrónico

Los monitores electrónicos de presión arterial incluyen un medidor digital y un brazalete que se infla cuando se acciona un botón.

Tipos de monitores para la presión arterial

No todos los monitores para la presión arterial son iguales: algunos son más fáciles de usar, algunos son más confiables, y algunos simplemente son inexactos y un desperdicio de dinero. Para obtener una lectura correcta, se debe ajustar de manera adecuada un brazalete en la parte superior del brazo. Es importante que el brazalete se ajuste bien. Un brazalete que está muy estrecho o demasiado holgado no dará lecturas correctas.

La bolsa inflable dentro del brazalete debe rodear 80 a 100 por ciento del brazo y cubrir tres cuartos del trayecto del codo al hombro. De manera ideal, el brazalete tendrá un anillo D de fijación para cerrarse con seguridad. Deje que el médico mida su brazo para determinar el tamaño adecuado del brazalete, en particular si tiene un brazo grande.

Los monitores de la presión arterial están disponibles en las siguientes formas:

Modelos de columna de mercurio. Estos monitores, los cuales parecen grandes termómetros, son muy exactos y una vez fueron los dispositivos de monitorización estándar. Por consideraciones de seguridad y ambientales acerca de la intoxicación por mercurio y el desecho del mismo, estos dispositivos se están retirando del uso doméstico.

Modelos aneroides. Estos monitores usan metal en lugar de líquido para medir la presión arterial. Unido al brazalete hay un disco que está marcado en incrementos que corresponden a 2 milímetros de mercurio. Durante su uso, la aguja en la parte anterior del disco se mueve para indicar el nivel de presión arterial.

Los médicos a menudo recomiendan los modelos aneroides para uso en casa debido a que son baratos y fáciles de transportar. Además, algunos discos son extra-grandes para una lectura más fácil y algunos modelos tienen un estetoscopio unido, lo cual facilita su uso.

Una desventaja es que una vez al año se necesita verificar la exactitud del monitor comparándolo con un dispositivo estándar en el consultorio del médico. Si la lectura es diferente por 3 milímetros, se necesita reemplazar la unidad.

Los monitores aneroides estándar no se recomiendan si tiene problemas para escuchar o si tiene poca destreza con las manos. Estos monitores requieren que se escuchen los sonidos de la turbulencia de la sangre pasando por una arteria. También requieren usar un estetoscopio y una bomba para inflar.

Modelos electrónicos. También llamados monitores digitales, estos modelos son los más populares y más fáciles de usar para monitorización en casa. También tienden a ser más caros que los dispositivos aneroides, aunque su costo sigue disminuyendo.

Los monitores electrónicos para la presión arterial requieren que se hagan dos cosas: colocar el brazalete inflable alrededor del brazo y presionar el botón con el dedo. El brazalete se infla de manera automática con aire y después se desinfla lentamente. Se visualiza la presión arterial y la frecuencia cardiaca en el medidor digital.

A diferencia de los modelos aneroides, los monitores electrónicos detectan el movimiento en la pared arterial en lugar del sonido del flujo sanguíneo. Para algunas personas, los monitores aneroides y electrónicos pueden no dar exactamente las mismas lecturas.

Los modelos electrónicos son más fáciles de dañar que los aneroides. Al igual que los modelos aneroides, se necesita revisar la exactitud del monitor electrónico por lo menos una vez al año. Si tiene un ritmo cardiaco irregular, consulte con el médico antes de comprar un modelo electrónico —podría no dar una lectura correcta—.

Modelos para el dedo o la muñeca. Para hacer que los monitores de la

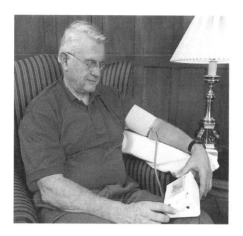

Cómo hacerlo

Usar un modelo electrónico incluye sentarse con el brazo a nivel del corazón, colocar el brazalete alrededor del brazo, relajarse y presionar un botón para inflar el brazalete y obtener una lectura.

presión arterial sean más compactos y fáciles de usar, algunos fabricantes han producido modelos que miden la presión arterial en la muñeca o en el dedo, en lugar del brazo. Para obtener una lectura exacta en cualquiera de estas localizaciones, es muy importante que la mano y la muñeca estén a la altura del corazón. La sencillez de uso de los monitores de dedo es notable; desafortunadamente su tecnología no lo es. Evítelos, ya que no son exactos. Los monitores de la muñeca también son difíciles de calibrar.

Consejos para monitorización en casa

Aprender a tomar una lectura de presión arterial correctamente toma

un poco de entrenamiento y práctica, pero los monitores no son difíciles de usar. Hay gran variedad de monitores disponibles en las tiendas de artículos médicos y en muchas farmacias. Después de que compre un monitor, llévelo consigo en su próxima consulta con el médico.

Además de asegurarse que el dispositivo funcione adecuadamente, el médico o la enfermera pueden enseñarle cómo usarlo y responderle algunas preguntas. Tenga en mente que si tiene un ritmo cardiaco irregular, obtener una lectura correcta con estos dispositivos será más difícil.

Para obtener una lectura exacta de la presión arterial:

- Recuerde que la presión arterial varía a lo largo del día, y las lecturas a menudo son un poco más altas en la mañana que en la tarde y en la noche. Por lo tanto, no mida la presión arterial poco después de levantarse en la mañana. Espere hasta que haya estado activo durante una hora o más.
- Tome la lectura antes de comer o espere por lo menos media hora después de que haya comido, fumado, o tomado cafeína o alcohol. El alimento, tabaco, cafeína y alcohol pueden elevar temporalmente la presión arterial.
- Vaya al baño antes de tomar la lectura. Una vejiga llena

aumentará ligeramente la presión arterial.

- Siéntese tranquilamente durante 3 a 5 minutos antes de tomar la lectura.
- El estado de ánimo puede afectar la presión arterial. Si ha tenido un día difícil no se alarme si la presión arterial lo refleja.
- Revise la presión arterial antes de ejercitarse, no después. La presión varía mucho durante el ejercicio y después de éste.

Para obtener una lectura exacta, es importante usar una técnica adecuada. Siga los 10 pasos que se presentan a continuación. Si tiene un dispositivo electrónico, algunos de estos pasos no aplicarán. Pida al médico instrucciones adicionales.

Paso 1: siéntese cómodamente. Mantenga sus piernas y tobillos sin cruzar y la espalda apoyada contra el respaldo de la silla. Recargue su brazo a nivel del corazón en una mesa o en el brazo de la silla. Si es diestro, podría encontrar que es más fácil medir la presión arterial en el brazo izquierdo y viceversa. Sea constante con el brazo que usa. Tome la presión arterial en horarios regulares, siempre en la mañana o siempre en la tarde.

Paso 2: localice su pulso en el brazo en el cual pondrá el brazalete, de manera que sepa en dónde colocar el estetoscopio. Haga esto presionando firmemente en la cara interna del codo, por arriba del pliegue. Si no puede encontrar el pulso, podría estar presionando muy fuerte o muy suave.

Paso 3: coloque el brazalete alrededor del brazo descubierto, no sobre la ropa. Enrollar la manga hasta que apriete el brazo puede

Busque *"High Blood Pressure Center"*

Visite el *High Blood Pressure Center* en MayoClinic.com para ver un video acerca de cómo usar los monitores de presión arterial en casa. El video muestra la técnica adecuada tanto para los monitores aneroides como para los electrónicos. Para ver el video, vaya a *www.MayoClinic.com*, haga clic en *High Blood Pressure Center* y busque el enlace *"How to monitor your own blood pressure"*.

dar una lectura incorrecta; por lo tanto podría necesitar descubrir el brazo. Coloque el brazalete aproximadamente a 5 cm por arriba del pliegue del codo. La porción inflable del brazalete debe ajustarse bien alrededor del brazo.

Paso 4: coloque las piezas auditivas del estetoscopio en los oídos, con los audífonos hacia delante. Coloque la parte plana del estetoscopio directamente sobre el pulso, justo debajo del borde inferior del brazalete. Si el monitor tiene un estetoscopio unido, una flecha en el brazalete podría marcar cuál sección se debe localizar por encima del pulso. Si los sonidos arteriales no se escuchan con claridad, coloque el lado de la campana del estetoscopio por debajo del borde inferior del brazalete.

Paso 5: coloque el medidor o pantalla digital en donde lo pueda leer con facilidad. Asegúrese de que registre cero antes de inflar el brazalete.

Paso 6: usando la mano del brazo sin el brazalete, presione el bulbo con la mano varias veces para bombear aire dentro del brazalete. Infle el brazalete a aproximadamente 30 milímetros (mm) por arriba de la presión sistólica normal, después deje de inflar. No debe escuchar el pulso cuando escuche por el estetoscopio.

Paso 7: mueva la válvula de liberación y lentamente desinfle el brazalete a 2 a 3 mm por segundo. Observe el medidor y escuche con cuidado. Cuando escuche el primer sonido del pulso, note la lectura en el medidor. Si la aguja del medidor se sacude ligeramente, use la lectura más baja. Ésta es la presión sistólica.

Paso 8: continúe desinflando el brazalete. Cuando el sonido del pulso se detiene, note la lectura del medidor. Ésta es la presión diastólica. En algunas personas, el pulso no desaparece, pero disminuirá notablemente. La disminución repentina del sonido indica la presión diastólica. Después libere la válvula por completo para desinflar el brazalete.

Paso 9: espere un minuto después de la primera lectura y repita el procedimiento para revisar la exactitud. Si tiene problemas para obtener lecturas consistentes, revíselo con el médico. El problema podría ser la técnica o el equipo. También llame al médico si nota un aumento inusual o persistente en la presión arterial.

Paso 10: mantenga un registro de las lecturas de su presión arterial. Junto con cada lectura, incluya la fecha y la hora. Lleve su registro a su siguiente cita con el médico para mostrárselo. Una muestra de registro se presenta en la página 213.

Fecha	Hora	Presión sistólica	Presión diastólica	Pulso	Cambios de medicamento/ comentarios

Ver al médico regularmente

Es vital que programe revisiones regulares con el médico para asegurarse de que está controlando la presión arterial y que el programa de tratamiento está progresando sin complicaciones o efectos secundarios serios.

Desafortunadamente, cerca de la mitad de las personas con presión arterial alta no visitan al médico de manera regular. Esto podría ser otro recordatorio de por qué muchas personas con presión arterial alta tienen tanta dificultad para controlar su condición.

Si tiene hipertensión estadio 1 sin evidencia de daño orgánico, el médico probablemente querrá verlo otra vez dentro de uno a dos meses después de haber empezado el programa de tratamiento.

Durante esa primera consulta de seguimiento, el médico evaluará el progreso, determinará si la presión arterial ha disminuido, preguntará cómo van los esfuerzos para cambiar el estilo de vida y revisará si hay algún efecto secundario de los medicamentos que está tomando. Si la presión arterial no ha disminuido, el médico podría ajustar el programa.

Si tiene hipertensión estadio 2 y otros problemas médicos que complican el tratamiento, podría necesitar ver al médico con más frecuencia —tal vez cada dos a

¿Podré dejar de tomar medicamentos para la presión arterial?

Ha tomado el medicamento de manera precisa, y la presión arterial está dentro de un rango normal otra vez. Ahora desea saber si algún día podrá dejar de tomar medicamentos. La respuesta más probable es no.

Algunas personas con hipertensión que está bien controlada pueden reducir la cantidad de medicamento que toman al día. Sin embargo, la mayoría continúa tomando algún medicamento por el resto de su vida. Los medicamentos para la hipertensión aseguran que la presión arterial permanezca en niveles seguros y pueden reducir el riesgo de complicaciones por hipertensión mal controlada —incluyendo ataque vascular cerebral, ataque cardiaco, insuficiencia cardiaca, insuficiencia renal y demencia—.

En algunos casos, las personas con hipertensión estadio 1 que han mantenido una presión arterial normal durante por lo menos un año pueden suspender el medicamento. Sin embargo para hacer esto, el médico necesita establecer un plan para reducir el medicamento de manera gradual. El médico también querrá verlo con frecuencia para asegurarse de que la presión arterial no aumentará otra vez conforme se retira el medicamento.

Para manejar con éxito la presión arterial sin medicamentos, es esencial controlar el peso, permanecer activo, comer bien, evitar el tabaco y limitar el alcohol. Algunas personas que reducen con éxito los medicamentos para la hipertensión con el tiempo necesitan volver a tomarlos.

Si los efectos secundarios molestos son la principal razón por la cual quiere suspender el medicamento, una mejor solución podría ser trabajar con el médico para reducir o eliminar estos efectos secundarios.

cuatro semanas hasta que la presión arterial esté bajo control—.

Una vez que la presión arterial esté bien controlada, una visita al médico una o dos veces al año a menudo es todo lo que se necesita, a menos que tenga una condición médica coexistente, como diabetes, colesterol alto o enfermedad cardiaca o renal. En ese caso necesitará ver al médico con más frecuencia.

Las visitas de seguimiento por lo regular incluyen medir la presión arterial dos veces, hacer una exploración física general y realizar algunas pruebas de rutina. Las pruebas pueden alertar al médico acerca de posibles problemas, resultado de los medicamentos o de una declinación en la función cardiaca o renal relacionada con la hipertensión. Las visitas de seguimiento también son un buen momento para hablar con el médico acerca de aspectos relacionados con el peso, la dieta y el nivel de actividad, así como de otros esfuerzos para mejorar el estilo de vida.

Si la presión arterial no alcanza la meta que se ha establecido, podría estar tentado a abandonar el programa. Pero no lo haga. Más bien discuta con el médico por qué el plan no está funcionando y considere los ajustes que puede hacer. Lograr la meta simplemente puede tomar más tiempo. Puede ayudar al:

- Aprender todo lo que pueda acerca de la hipertensión.
- Practicar buenos hábitos de estilo de vida, como controlar el peso, comer bien, estar físicamente activo, no fumar, limitar el alcohol y manejar el estrés.
- Revisar los medicamentos y suplementos que toma, tanto de prescripción como de venta sin receta.
- Ser optimista y paciente.
- Ver a un especialista en hipertensión si siente que el plan de tratamiento no está ayudando.

Cómo evitar interacciones medicamentosas

La efectividad del medicamento depende en gran parte de usted. Cuándo, cómo y con qué tome las pastillas son factores importantes.

Cómo tomar los medicamentos correctamente

Necesita tomar los medicamentos exactamente como están prescritos para obtener los mejores resultados. Esto podría sonar obvio, pero se estima que sólo la mitad de las personas toman los medicamentos para la presión arterial en dosis y horarios correctos.

Suplementos nutricionales y de herbolaria

Las prácticas y productos de salud alternativos se están haciendo cada vez más populares, pero no siempre son efectivos o seguros. Si toma un suplemento —o considera usar uno—, hable con el médico acerca de ello.

Suplementos que promocionan reducir la presión arterial

Coenzima Q10	Los resultados de estudios no son concluyentes acerca de si controla la presión arterial.
Nuez de cola	Tiene el efecto de aumentar la presión arterial.
Cápsulas de aceite de pescado que contienen ácidos grasos omega-3	Las cápsulas tienen alto contenido graso y calórico. Podrían producir efectos secundarios gastrointestinales, y dejar sabor a pescado después de tomarlas. Es mejor comer pescado, aunque algunos pescados contienen niveles altos de mercurio.
Ajo	Los resultados de los estudios son mixtos. No hay evidencia concluyente de que controle la presión arterial.
Ginkgo	No hay evidencia concluyente de que controle la presión arterial.
Té verde	No hay evidencia concluyente de que controle la presión arterial.
Potasio, calcio y magnesio	Podrían interferir con otros medicamentos. Los suplementos de magnesio pueden causar diarrea. El potasio excesivo puede interferir con el ritmo cardiaco.
Vitamina C	No hay evidencia concluyente de que controle la presión arterial.

Suplementos que pueden aumentar la presión arterial

Efedra (efedrina)	Anuncia promover la pérdida de peso y levantar el ánimo. Debe evitarse. Ha sido prohibida por la *Food and Drug Administration* de Estados Unidos. Compuestos similares incluyen la naranja amarga *(Citrus aurantium)*.
Orozuz	Anuncia curar úlceras, tos y resfriados. Debe evitarse. Puede aumentar la presión arterial.
Yohimbina	Anuncia aumentar el deseo sexual. Debe evitarse. Puede aumentar la presión arterial.

Si toma las pastillas mucho antes de lo que corresponde, aumenta el nivel del fármaco en el torrente sanguíneo. Esta sobredosis puede producir síntomas y efectos secundarios como náusea y diarrea.

Si toma sus pastillas más tarde de lo que corresponde u olvida tomarlas, la presión arterial puede aumentar conforme disminuyen los niveles del medicamento. Y si deja de tomar las pastillas por completo, la presión arterial podría rebotar a niveles más altos que antes de que se diagnosticara la condición.

Es importante saber los nombres y dosis de todos los medicamentos que toma. Para ayudarlo a recordar, mantenga una lista en su monedero o cartera y actualícela cuando sea necesario. Guarde los frascos originales. Periódicamente llévelos con el médico para asegurarse de que está tomando el medicamento correcto a la dosis adecuada.

Estos son otros consejos para ayudarlo a tomar su medicamento adecuadamente:

Use las actividades diarias como recordatorio. Si toma un medicamento por la mañana, coloque las pastillas cerca de los platos del desayuno, cepillo de dientes o rasuradora —donde no ponga en peligro a los niños o las mascotas— o ponga un cartel cerca

de estos artículos pare recordarle que tome sus pastillas.

Coloque una reloj de alarma o la alarma de su reloj de pulsera. La alarma le recordará cuándo es momento de tomar el medicamento.

Use un pastillero. Si toma varios medicamentos, compre un pastillero con compartimentos para cada día de la semana. Llene la caja una vez a la semana para mantener el seguimiento de cuántas pastillas toma y cuándo.

Pida la ayuda de un ser querido. Pida a un miembro de la familia o a un amigo confiable que le recuerde que tome sus pastillas, por lo menos hasta que haya integrado el hábito a su rutina de vida diaria.

Tome las pastillas con agua. El agua ayuda a disolver el medicamento. Si toma las pastillas con otro líquido, consulte al médico o farmacéutico para asegurarse de que combina bien con el medicamento.

Si debe tomar las pastillas con los alimentos, hágalo. De otra manera, el medicamento podría no absorberse adecuadamente en el torrente sanguíneo.

Use una iluminación adecuada. No tome el medicamento en la oscuridad. Podría sin querer tomar el medicamento equivocado.

Note cualquier efecto secundario. Déle esta información al médico en su siguiente revisión. El médico podría ajustar la dosis o probar un medicamento diferente. Muchos medicamentos para la presión arterial pueden producir efectos secundarios. Sin embargo, con el medicamento correcto, la mayoría de las personas presentan pocos problemas.

Resurta sus prescripciones con anticipación. Planee resurtir por lo menos con dos semanas de anticipación, en caso de cambios inesperados en su rutina. Las tormentas, un resfriado y accidentes son sólo algunos ejemplos de las sorpresas que pueden retrasar su viaje a la farmacia.

No cambie la dosis. Si la presión arterial aumenta aunque esté tomando el medicamento de manera adecuada, no aumente la dosis por sí solo. Hable con el médico primero. De manera similar, no disminuya la dosis sin primero consultar al médico.

Cómo prevenir interacciones

Hay muchos medicamentos que se pueden usar para controlar la presión arterial. Algunos producen efectos secundarios peligrosos si se mezclan con otros medicamentos de prescripción, medicamentos de venta sin receta, suplementos nutricionales y de herbolaria, drogas ilícitas e incluso algunos alimentos. Por ello es importante decirle al médico todos los medicamentos que está tomando y preguntar acerca de cualquier interacción potencialmente dañina.

Medicamentos de prescripción. Muchos medicamentos de prescripción pueden interferir con ciertos fármacos para la presión arterial. Algunos medicamentos de prescripción, como sibutramina, pueden en realidad aumentar la presión arterial en algunas personas.

Muchos medicamentos antiinflamatorios comunes pueden interferir con por lo menos cuatro tipos diferentes de antihipertensivos: diuréticos, betabloqueadores, inhibidores de la enzima convertidora de la angiotensina (ECA) y bloqueadores del receptor de angiotensina II (BRA).

Estos medicamentos contrarrestan los efectos de los diuréticos al hacer que el cuerpo retenga sodio y líquidos, y contrarrestan los efectos de los betabloqueadores al evitar la producción de químicos que relajan los vasos sanguíneos. Asimismo, reducen la capacidad de los inhibidores de la ECA y los BRA para ampliar los vasos sanguíneos. Su efecto sobre un nuevo tipo de medicamentos, los inhibidores directos de la renina, no se ha estudiado todavía.

Si está tomando un medicamento de prescripción, el médico puede ajustar la dosis del medicamento de la presión arterial para contrarrestar cualquier efecto negativo. Los problemas se desarrollan más a menudo con el uso intermitente de antiinflamatorios, y es importante decirle al médico si está tomando estos medicamentos, incluso ocasionalmente. El médico podría reemplazar el antihipertensivo por alguno que se afecte menos por el medicamento de prescripción.

Productos de venta sin receta. Los medicamentos para el dolor, descongestionantes y pastillas para dieta pueden representar problemas si está tomando un antihipertensivo. Algunos de estos productos de venta sin receta, cuando se toman con ciertos antihipertensivos, podrían aumentar la presión arterial.

Los medicamentos de venta sin receta incluyen antiinflamatorios no esteroideos (AINE) como la aspirina para adulto (325 miligramos, o mg), ibuprofeno y naproxeno sódico.

El acetaminofén no es un medicamento antiinflamatorio, y no interfiere con los antihipertensivos. La aspirina para niños (81 mg) no afecta el control de la presión arterial.

Use los productos para el resfriado y la alergia con cautela. Lea las

etiquetas para ver si contienen un descongestionante como seudoefedrina o fenilefrina (utilizada en los aerosoles nasales). Estos compuestos alivian la congestión al constreñir los vasos sanguíneos, minimizando el flujo sanguíneo a un área localizada. Este estrechamiento de los vasos sanguíneos puede aumentar la presión arterial. Pida guía al médico.

Drogas ilícitas. La cocaína constriñe e inflama los vasos sanguíneos e interfiere con los efectos de los antihipertensivos. Las drogas callejeras también pueden causar peligrosas interacciones medicamentosas.

Alimentos. La toronja, el jugo de toronja, las naranjas agrias y los pomelos (un tipo de toronja nativa de la India) pueden interferir con la capacidad de la pared intestinal para procesar ciertos bloqueadores del canal de calcio. Esto hace que el medicamento se acumule en el cuerpo, lo cual puede llevar a efectos secundarios dañinos.

Si toma los medicamentos felodipina, nifedipina o verapamil no coma ninguno de los cítricos mencionados anteriormente y no tome jugo de toronja. Las naranjas dulces y las mandarinas, por lo general, no interfieren con la absorción del medicamento.

El orozuz natural, el ingrediente agridulce agregado con frecuencia al tabaco para mascar y a algunos caramelos para la tos, puede aumentar la presión arterial porque contiene ácido glicirrícico. Este tipo de ácido hace que los riñones retengan sodio y agua. Si toma un diurético para eliminar el exceso de sodio y líquidos, evite el orozuz natural. El sabor artificial de orozuz —el tipo utilizado con frecuencia en los dulces— no es un problema.

Cómo reducir los costos de los medicamentos

Muchos medicamentos antihipertensivos pueden resultar muy gravosos si tiene que tomarlos todos los días por el resto de su vida —una situación que se magnifica si toma dos o más medicamentos al día—. Sin embargo, hay formas con las que puede reducir los costos.

Medicamentos genéricos. Una vez que expira la patente de una compañía farmacéutica —por lo general después de 17 años—, otras compañías tienen la libertad de hacer el medicamento con los mismos ingredientes. Esta competencia a menudo obliga a que el proveedor original reduzca el precio. Además, el costo de las nuevas marcas genéricas es usualmente menor porque los fabricantes de genéricos no tienen que recuperar los costos de la investigación y el desarrollo.

Pregunte al médico si está bien que tome un medicamento genérico, y

no se sorprenda si las nuevas pastillas se ven diferentes a la original. Los genéricos a menudo tienen otra forma y color. Debido a esto, lea la etiqueta cuidadosamente para asegurarse de que la dosis es la misma del medicamento original.

Un medicamento genérico no enfrenta las mismas pruebas rigurosas de un nuevo medicamento de marca. Pero la *Food and Drug Administration* sí lo revisa para asegurarse de que el genérico provee la misma cantidad de ingrediente activo en el mismo tiempo que el original de marca.

Los medicamentos genéricos también deben cumplir con los mismos estándares de identidad, calidad y pureza requeridos por los productos de marca. Aun así, es buena idea monitorizar la presión arterial con mayor frecuencia cuando empiece a tomar un medicamento genérico.

Dividir las tabletas. Las pastillas por lo general se presentan en varias dosis. Muchas veces, las pastillas con la mayor dosis cuestan sólo un poco más que las versiones de dosis menores. Por ejemplo, si la prescripción es para tabletas de 50 miligramos (mg), puede comprar tabletas de 100 mg y cortarlas para ahorrar dinero.

Puede comprar un cortador de pastillas barato en las tiendas de artículos médicos y en algunas farmacias. Es más conveniente y exacto que usar un cuchillo y tabla para cortar.

Sin embargo, no todas las tabletas se pueden cortar. Por ejemplo, esta técnica no funciona con las cápsulas que contienen gránulos de liberación sostenida. Los múltiples ingredientes no se distribuyen de manera regular dentro de la cápsula. Tampoco debe cortar tabletas que están recubiertas para evitar que se disuelvan en el estómago. Cortarlas anula el efecto de la cubierta.

Además, el medicamento que toma podría no presentarse en una dosis que pueda ser dividida equitativamente. Las tabletas se *deben* cortar en partes iguales. Si está tomando varios medicamentos o tiene una condición que hace que sea difícil cortar, dividir las pastillas puede volverse un problema más que una ayuda.

Consulte con el médico o farmacéutico antes de cortar las pastillas. Asegúrese de que es seguro hacerlo; y, si lo hace, programe visitas de seguimiento con el médico para asegurarse de que el medicamento está funcionando.

Comprar por mayoreo. Además de comparar en busca del mejor precio entre las farmacias, también revise las farmacias de descuento por correo. Sus precios pueden ser 10 a

35 por ciento menores del que encontrará en algunas farmacias. El descuento está disponible porque estas farmacias compran y venden en mayoreo.

Una desventaja de comprar al mayoreo es que, si almacena demasiado medicamento, algunos de ellos podrían llegar a su fecha de caducidad antes de que los pueda usar. Si el médico cambia la prescripción, también podría quedarse con el medicamento que no puede usar. Es mejor comprar los suficiente para sólo tres o seis meses.

Otra desventaja de comprarle a proveedores por correo es que se pierde de tener un farmacéutico que está familiarizado con su historia médica y todos los medicamentos que está tomando. Pero si se esmera en tener al médico actualizado con sus medicamentos, estos proveedores pueden brindar una alternativa segura y económica.

Medicamentos combinados.
Algunos medicamentos para la presión arterial se usan juntos con mucha frecuencia; por ello, los fabricantes han combinado los ingredientes en una sola tableta. Estas tabletas combinadas son más baratas que comprar las pastillas por separado, y también se puede ahorrar en lo que paga por cada una. Si toma más de un medicamento para la presión

arterial, pregunte al médico si los fármacos se presentan en forma combinada (véanse páginas 196-197).

Programas de asistencia. Algunas organizaciones de servicio social y compañías farmacéuticas ofrecen medicamentos gratuitos o fármacos a precios muy reducidos a personas que enfrentan problemas financieros. El médico puede referirlo a los servicios sociales adecuados o al fabricante del medicamento.

En EU está disponible un directorio de programas de asistencia ofrecido por Pharmaceutical Research and Manufacturers of America (PhRMA), 950 F St. N.W., Washington, D.C., 20004, (202-835-3400).

Cómo reconocer una urgencia

La hipertensión no controlada puede gradualmente desgastar la salud al agotar muchos de los sistemas corporales y dañar los órganos.

Algunas veces, sin embargo, la presión arterial puede elevarse lo suficiente para convertirse en una amenaza para la vida, requiriendo atención inmediata. Cuando esto pasa, es una emergencia hipertensiva.

Las emergencias hipertensivas son raras. Se presentan cuando la presión arterial aumenta a un nivel peligrosamente alto y a menudo se acompaña de otros síntomas importantes.

Por lo general, una lectura de 180/110 mm Hg o mayor se considera un nivel peligrosamente alto. Si tiene otra condición médica, las elevaciones menores en la presión arterial también pueden desencadenar una emergencia hipertensiva. El nivel de peligro en niños es menor, dependiendo de la edad y la talla.

Las causas de emergencias hipertensivas podrían incluir:
- Olvidar tomar el medicamento para la presión arterial.
- Ataque vascular cerebral agudo.
- Ataque cardiaco agudo.
- Insuficiencia cardiaca.
- Insuficiencia renal.
- Rotura de la aorta.
- Interacción entre medicamentos.
- Complicaciones posoperatorias.
- Convulsiones durante el embarazo (eclampsia).

Para evitar daño orgánico, se necesita reducir la presión arterial de inmediato pero en etapas controladas. Reducirla demasiado rápido puede interferir con el flujo sanguíneo normal, posiblemente dando como resultado muy poca sangre al corazón, cerebro y otros órganos.

Signos de alarma de una urgencia

Además de las lecturas peligrosamente altas de la presión arterial, los signos y síntomas que a menudo señalan una emergencia hipertensiva incluyen:

- Dolor de cabeza intenso, acompañado de confusión y visión borrosa.
- Dolor intenso en el pecho.
- Falta de aire marcada.
- Náusea y vómito.
- Convulsiones.
- Falta de respuesta.

No tome o coma nada y, si puede, acuéstese hasta que llegue la ayuda de emergencias o hasta que llegue al hospital.

Urgencia frente a emergencia

Si por lo menos tres lecturas de la presión arterial tomadas con pocos minutos de diferencia tienen resultados de 180/110 mm Hg o más —pero no está presentando ningún signo ni síntoma—, contacte al médico o a otro profesional de la atención a la salud en seguida. Si esto no es posible, vaya al hospital más cercano. Si se deja sin tratamiento por más de unas horas, las presiones de este nivel podrían llevar posiblemente a una emergencia médica.

Recordatorio

Puntos clave a recordar:

- Monitorizar la presión arterial en casa ayuda a determinar el nivel usual de presión arterial, revisar el progreso del tratamiento y permanecer en control de la condición.

- Si toma medicamentos para la presión arterial, es esencial que siga las instrucciones como se indican y tomar el medicamento a horarios regulares.

- Un elemento importante del programa de tratamiento es acordar visitas de seguimiento regulares con el médico.

- Mantenga informado al médico acerca de todos los medicamentos y suplementos que esté tomando, ya que muchos interfieren con algunos antihipertensivos o incluso aumentan la presión arterial.

- Las opciones para reducir los costos de medicamentos incluyen comprar genéricos o comprar al mayoreo, cortar las pastillas y comprar medicamentos combinados. Los programas de asistencia podrían estar disponibles si sus recursos financieros son limitados.

Capítulo 5

Aspectos y condiciones especiales

La presión arterial alta se presenta con mayor frecuencia en individuos entre los 30 y 60 años de edad, pero no se limita sólo a esas edades. Casi todos, sin importar la raza o el sexo, se enfrentan con un mayor riesgo de presión arterial alta conforme envejecen. Pero la condición puede afectar a cualquiera en cualquier momento.

Además, los investigadores están encontrando que la presión arterial está influenciada por muchos factores diferentes, incluyendo los genéticos y los ambientales, a menudo trabajando en combinación. Para determinar la mejor forma de tratar o prevenir la hipertensión, se deben considerar todos estos factores.

Este capítulo trata temas que conciernen exclusivamente a mujeres, niños y poblaciones específicas, a la hipertensión acompañada de otras condiciones, y a la hipertensión difícil de controlar. El curso de tratamiento podría variar de acuerdo a ello.

Mujeres

No hace mucho, la mayoría de los estudios acerca de la hipertensión examinaban su efecto en los varones. Ahora, cerca de la mitad de las personas diagnosticadas con hipertensión son mujeres.

Conforme se hace aparente que las mujeres a menudo desarrollan la enfermedad por diferentes motivos y en diferentes momentos en su vida que los varones, que tienen un patrón diferente de signos y síntomas, y que pueden responder de manera diferente a los medicamentos, más estudios se están enfocando en aspectos que afectan específicamente a las mujeres.

Anticonceptivos orales

Los anticonceptivos orales —la píldora— son una forma común de control de la natalidad. En la mayoría de las mujeres, la píldora no produce presión arterial alta. Sin embargo, en algunas mujeres puede hacer que la presión arterial se eleve, en especial si la mujer es mayor de 35 años, tiene sobrepeso o es fumadora.

Si desarrolla hipertensión mientras toma el anticonceptivo o si ya tiene presión arterial alta antes de empezar, considere una forma diferente de control de la natalidad. Si otra alternativa de control de la natalidad no es posible y aun así quiere tomar la píldora, necesitará que le revisen la presión arterial regularmente y dar pasos para reducir la presión arterial, por medio de cambios en el estilo de vida y posiblemente con la ayuda de medicamentos.

Las pastillas para el control de la natalidad no se recomiendan si es mayor de 35 años o fuma, debido a que aumentan la probabilidad de que desarrolle enfermedad cardiaca o de que tenga un ataque vascular cerebral. Tener presión arterial alta además de estos otros factores puede aumentar el riesgo todavía más.

Una palabra de precaución: un anticonceptivo que combina drospirenona y etinil estradiol contiene un tipo de progestina sintética que puede hacer que retenga potasio. Esto podría llevar a niveles anormalmente altos de potasio en la sangre si está tomando también un diurético ahorrador de potasio, un inhibidor de la ECA, un BRA, un inhibidor directo de la renina u otro medicamento para manejar la presión arterial alta. Consulte con el médico antes de combinar pastillas para el control de la natalidad y medicamentos para la hipertensión.

Embarazo

Es muy posible que las mujeres con presión arterial alta tengan un embarazo y parto saludable, pero deben tener precauciones, comenzando con revisiones programadas regulares. En un embarazo normal, la presión arterial tiende a caer durante el segundo trimestre.

Este patrón se presenta en la mayoría de las mujeres con presión arterial alta, pero algunas experimentarán un aumento de la misma. También, si tiene presión arterial alta, tiene un mayor riesgo de complicaciones durante el embarazo, las cuales pueden afectarla a usted y al niño por nacer.

Como resultado, el médico querrá monitorizar el embarazo y la presión arterial estrechamente, en especial durante los últimos tres meses (tercer trimestre), cuando es más frecuente que se presenten complicaciones.

Las complicaciones poco comunes, pero posibles para la madre, incluyen insuficiencia cardiaca, ataque vascular cerebral y otras complicaciones de la presión arterial alta no controlada. También se pueden presentar preeclampsia o eclampsia, condiciones potencialmente peligrosas relacionadas con el embarazo.

Las posibles complicaciones para el bebé incluyen alteración del crecimiento, mayor riesgo de separación de la placenta de la pared uterina y mayor riesgo de obtener menores niveles de oxígeno durante el trabajo de parto. Algunas de estas complicaciones pueden llevar a nacimiento prematuro del bebé, ya sea por inducción o por cesárea.

Si tiene presión arterial alta antes de concebir, hable con el médico acerca de los posibles riesgos de salud al embarazarse. El médico podría recomendar cambiar el

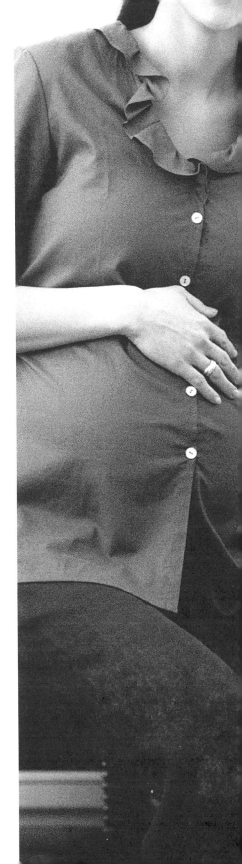

medicamento debido a que algunos antihipertensivos no se deben tomar en el embarazo por el riesgo de dañar a la madre o al bebé.

También se deben tomar medidas para mantener la presión arterial bajo control, como ejercicio regular, perder peso si hay sobrepeso, limitar la cantidad de sodio de la dieta y tomar el medicamento como está prescrito.

Informe al médico tan pronto como se embarace. Una de las cosas más importantes que puede hacer para tener un embarazo saludable es obtener atención prenatal temprana y regular. Además de las revisiones de rutina, podría necesitar pruebas de sangre y orina regulares, y ultrasonidos frecuentes del feto en desarrollo.

Si ve a más de un médico durante el embarazo, asegúrese de informar a cada uno que tiene presión arterial alta. Debido a que la presión arterial normalmente disminuye durante las etapas inicial y media del embarazo, un médico que no está familiarizado con su historia médica podría no darse cuenta de que tiene hipertensión.

Si necesita tomar medicamentos para la presión arterial durante el embarazo, el médico podría recomendar el medicamento de acción central metildopa, labetalol u otro tipo de betabloqueador, o un bloqueador del canal de calcio. Los medicamentos como los inhibidores de la enzima convertidora de la angiotensina (ECA), los bloqueadores del receptor de la angiotensina II (BRA), y los inhibidores directos de la renina no se deben tomar durante el embarazo porque pueden ser dañinos y posiblemente fatales para el bebé. (Para más información acerca de estos medicamentos, véase el Paso 5 en este libro.)

Hipertensión inducida por el embarazo. Un pequeño porcentaje de mujeres saludables desarrollan hipertensión durante su embarazo. Esta condición algunas veces se refiere como hipertensión gestacional. Sucede con más frecuencia durante las etapas finales del embarazo, y en la mayoría de los casos el incremento es leve. Una vez que se termina el embarazo, la presión arterial regresa a lo normal.

Si desarrolla hipertensión inducida por el embarazo, en especial si permanece dentro del rango de estadio 1, por lo general no es necesario el medicamento. Pero podría necesitar limitar el sodio y seguir una dieta que enfatice en los granos, frutas, verduras y productos lácteos reducidos en grasa —alimentos que ayudan a controlar la presión arterial alta—. Sólo si la presión arterial aumenta una cantidad importante— poniendo en peligro su salud y la de su bebé— se recomienda el medicamento.

En la mayoría de los casos, la hipertensión inducida por el embarazo es un indicador de una de dos posibles situaciones. Podría ser una alerta temprana de que es susceptible a desarrollar hipertensión, ataque vascular cerebral, enfermedad cardiaca o enfermedad renal más tarde en la vida, o un anuncio inicial de una condición llamada preeclampsia.

Preeclampsia. La preeclampsia es una condición que se presenta en aproximadamente 6 a 8 por ciento de las mujeres embrazadas. Se caracteriza por un aumento importante en la presión arterial y una cantidad excesiva de proteína en la orina. Por lo general, se desarrolla después de la semana 20 del embarazo. Si se deja sin tratamiento, la preeclampsia puede llevar a complicaciones importantes, incluso mortales.

La causa exacta de la preeclampsia se desconoce. Sin embargo, ciertos factores pueden aumentar el riesgo de preeclampsia. Estos incluyen:

- Hipertensión crónica preexistente.
- Primer embarazo.
- Antecedente familiar de preeclampsia.
- Embarazo múltiple.
- Diabetes.
- Problemas renales antes del embarazo.
- Embarazo al principio o al final de la edad reproductiva —al inicio de la adolescencia o alrededor de los 40 años—.

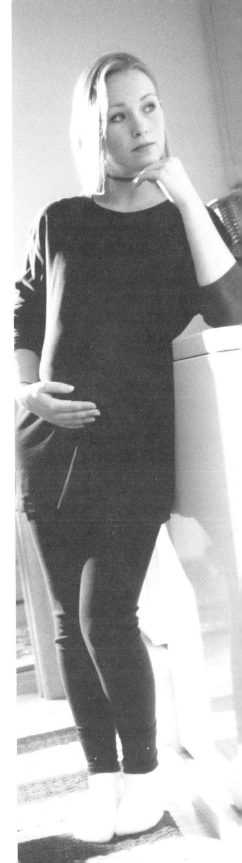

Las mujeres que desarrollan preeclampsia a menudo no tienen síntomas iniciales. Para el momento en el que aparecen, la condición ya está avanzada. Además de tener aumento de proteína en la orina, podría presentar hinchazón evidente en la cara y manos, y aumento súbito de peso de más de 1 kg en una semana debido a la retención de líquidos.

Otros signos y síntomas incluyen dolor de cabeza, problemas visuales y dolor en la parte superior del abdomen. Si presenta alguno de estos, debe ser evaluada por el médico. Algunos de los signos y síntomas también se presentan en embarazos normales, y no necesariamente significa que tenga preeclampsia.

La presión arterial y la orina se revisan de rutina durante el embarazo. El médico también puede realizar pruebas de sangre para revisar la cuenta de plaquetas y para ver qué tan bien están funcionando el hígado y los riñones. Un nivel bajo de plaquetas en sangre y aumento en los valores de las enzimas hepáticas indican una forma grave de preeclampsia llamada síndrome de HELLP (hemólisis, elevación de enzimas hepáticas, cuenta baja de plaquetas), el cual puede poner en riesgo la vida.

La preeclampsia leve a menudo se puede manejar en casa con reposo en cama. Le pedirán que se acueste sobre el lado izquierdo para dejar que la sangre fluya con más libertad a la placenta. El médico querrá verla con frecuencia para revisar la presión arterial y la orina, hacer pruebas de sangre, y monitorizar el estado del bebé. También necesitará revisar la presión arterial en casa. Para evitar que la condición empeore, el médico podría recomendar provocar el nacimiento en la semana 38 en lugar de esperar hasta que empiece espontáneamente el trabajo de parto.

La preeclampsia grave requiere estancia hospitalaria de manera que su salud y la de su bebé se puedan monitorizar constantemente. Le pueden dar un medicamento para ayudar a controlar la presión arterial y para ayudar a prevenir convulsiones. Si las pruebas indican que su salud o la de su bebé pueden estar en un riesgo importante, puede ser necesario el nacimiento prematuro del bebé. Se puede inducir el parto o realizarse una cesárea.

Después del parto, la presión arterial debe regresar a lo normal en un periodo de varios días a varias semanas. Si la presión arterial está todavía en estadio 2 cuando salga del hospital con el bebé, podría necesitar tomar medicamentos para la presión arterial. La mayoría de las mujeres pueden reducir el medicamento después de algunos meses.

Varios estudios clínicos pequeños han sugerido que tomar dosis bajas de aspirina podrían ayudar a prevenir la preeclampsia. Sin embargo, estudios más grandes subsecuentes no pudieron confirmar estos resultados —por ello el beneficio potencial de la aspirina en la prevención de la preeclampsia todavía está siendo evaluado—. Dada la falta de evidencia clara, el médico podría no recomendar tomar aspirina para este propósito.

Eclampsia. La eclampsia es una condición que pone en riesgo la vida y que se puede desarrollar cuando los síntomas de preeclampsia no se controlan. Estos signos y síntomas incluyen:

- Dolor en el lado superior derecho del abdomen.
- Dolor de cabeza intenso y problemas visuales, incluyendo luces destellantes en el campo visual.
- Convulsiones.
- Inconciencia.

La eclampsia puede dañar permanentemente al cerebro, hígado o riñones, y puede ser fatal tanto para la madre como para el bebé por nacer. Es necesario el nacimiento de urgencia del bebé.

Menopausia

La presión arterial, por lo general, aumenta después de la menopausia, y así también el riesgo de hipertensión. Ha habido cierto debate acerca de si estos cambios en la presión arterial se deben realmente a la menopausia o son consecuencia de la edad y el aumento de peso. Después de tomar varios factores en cuenta, los investigadores han concluido que las mujeres posmenopáusicas están en mayor riesgo de presión arterial alta que las premenopáusicas, y que los cambios hormonales relacionados con la menopausia pueden jugar un papel.

Es un hecho que antes de la menopausia, las mujeres tienen una presión diastólica y sistólica ligeramente menor que los varones. Después de la menopausia, la presión sistólica en las mujeres aumenta cerca de 5 milímetros de mercurio (mm Hg).

Los aumentos de la presión arterial relacionados con la menopausia se pueden atribuir en parte al aumento de la sensibilidad a la sal y al aumento de peso, los cuales están relacionados con cambios hormonales durante la menopausia. Los medicamentos que se utilizan en la terapia de reemplazo hormonal (TRH) para la menopausia también pueden contribuir con los aumentos de la presión arterial. La TRH puede prescribirse por un tiempo limitado después de la menopausia para reducir los molestos síntomas posmenopáusicos, como bochornos y sequedad vaginal.

Las mujeres mayores de 50 años que toman TRH pueden tener un ligero aumento —por lo general, 1 a 2 mm Hg— de la presión sistólica. Tienen 25 por ciento más probabilidad de tener presión arterial alta que las mujeres que no toman TRH.

Es mejor discutir los riesgos y beneficios de la TRH con el médico. Sin embargo, las mujeres que toman TRH responden a los cambios del estilo de vida y a los medicamentos igual que las que no toman TRH.

La prehipertensión se puede manejar con programas de estilo de vida que busquen una presión arterial menor de 120/80 mm Hg. Para las mujeres que tienen enfermedad cardiaca, enfermedad renal, ataque vascular cerebral o diabetes, a menudo se recomienda usar medicamentos para reducir la presión arterial a menos de 130/80 mm Hg.

Niños

Los lactantes nacen con presión arterial baja que aumenta rápidamente durante el primer mes de vida. Durante la infancia, la presión arterial continúa aumentando ligeramente, y sigue haciéndolo durante la adolescencia hasta alcanzar un nivel comparable con el de un adulto.

La presión arterial no se mide de forma rutinaria en lactantes y preescolares debido a que es difícil obtener una lectura exacta.

Sin embargo, los niños pequeños pueden desarrollar hipertensión, y al igual que con los adultos puede no siempre acompañarse de síntomas. La condición puede no sospecharse hasta que se presentan problemas más obvios, como irritabilidad inexplicable, vómito, falla para crecer adecuadamente o, en casos extremos, convulsiones o insuficiencia cardiaca.

Cuando un niño llega a la edad de 3 años, es adecuado revisar la presión arterial en cada consulta del niño sano. Para determinar si la presión del niño está realmente elevada, se califica la presión arterial en percentiles, tomando en cuenta la edad y la talla —hay tablas disponibles que muestran esta información—.

A cualquier edad, los niños altos tienden a tener presión arterial más alta que los niños que son bajos o de la talla promedio. Un niño con una lectura de presión arterial por arriba del 95º percentil se considera hipertenso. Una lectura entre el 90º y 94º percentil indicaría un niño con prehipertensión.

Más a menudo que los adultos, la presión arterial alta en niños se asocia con una causa claramente definida. Estas causas pueden incluir estrechamiento de una arteria renal, insuficiencia renal y anormalidades hormonales. El traumatismo en la cabeza, infecciones cerebrales y tumores también pueden causar hipertensión. La coartación de la aorta es un estrechamiento de la arteria principal del corazón (véase la página 50). Este problema congénito, el cual produce presión arterial alta en la parte superior del cuerpo, podría no ser detectado hasta más adelante en la vida.

El médico probablemente realizará varias pruebas para tratar de encontrar la causa de la presión arterial del niño. Si todos los resultados de las pruebas son normales y se eliminan todas las demás posibles causas, entonces se considera que el niño tiene hipertensión esencial. La condición puede estar relacionada con factores del estilo de vida como obesidad, dieta deficiente o falta de ejercicio. Si más de un niño en la familia tiene presión arterial alta, se puede sospechar un vínculo genético.

Debido a que un mayor número de niños pequeños son menos activos físicamente y más obesos, más de ellos corren el riesgo de desarrollar presión arterial alta en su adolescencia. Entre 1 y 3 por ciento de los niños en Estados Unidos tienen presión arterial alta crónica. Este porcentaje parece aumentar

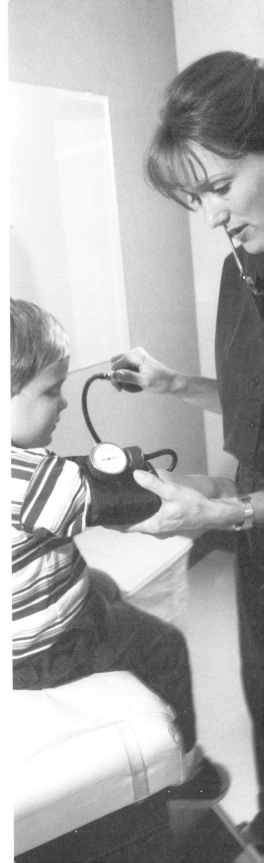

sustancialmente entre los niños que tienen sobrepeso o son obesos — varios estudios reportan que ser obeso casi triplica la probabilidad de que un niño tenga presión arterial alta—. El colesterol alto u otras anormalidades de las grasas de la sangre coexisten con frecuencia con la hipertensión y también necesitarán tratamiento.

Para los niños con hipertensión esencial, por lo común se recomiendan cambios en el estilo de vida. Puede ser difícil para la gente joven adherirse a una dieta saludable y un plan de ejercicio regular, en especial para los adolescentes que quieren controlar sus propias elecciones de estilo de vida. Considerar estas metas como prioridades de la familia puede reforzar la importancia de estos cambios en la futura salud del niño y la familia.

La hipertensión en niños que es ignorada o no se controla puede derivar en los mismos problemas que experimentan los adultos con esta enfermedad, incluyendo daño a órganos como el corazón, cerebro, ojos y riñones.

El médico puede prescribir medicamentos si la presión arterial del niño es muy alta o si los cambios del estilo de vida no están funcionando. Los mismos medicamentos utilizados para controlar la presión arterial en adultos se usan para los niños, sólo

que en dosis menores. Para información acerca de medicamentos para la presión arterial, véase el Paso 5 en este libro. Algunas causas claramente identificables de la condición se pueden remediar con cirugía.

Grupos étnicos

Estudios que examinan la prevalencia de presión arterial alta en Estados Unidos muestran que la condición afecta a un número desproporcionado de individuos de raza negra en comparación con los de raza blanca, hispanos y asiáticos. La hipertensión en los de raza negra también parece ser más susceptible de desarrollarse a una menor edad y dar como resultado más complicaciones que para los individuos de la mayoría de los otros grupos étnicos en Estados Unidos.

Los motivos para esta desigualdad no están claros, aunque las teorías abundan. Pero hasta que los científicos puedan determinar las causas básicas de la presión arterial alta, es casi imposible explicar las diferencias entre las poblaciones.

No obstante, los factores de riesgo para la hipertensión —como la obesidad, inactividad física, demasiado sodio y no suficiente potasio en la dieta, excesiva ingesta de alcohol, y no comer suficientes frutas y verduras— siguen siendo los mismos en todos los grupos étnicos.

Con una atención médica adecuada, los ataques vasculares cerebrales, ataques cardiacos y enfermedad renal progresiva debidos a hipertensión se pueden reducir por igual en las personas de raza negra como en las de raza blanca. Además los participantes de raza negra en el estudio DASH-Sodium (véase página 88) tuvieron la mayor reducción en la presión arterial. Los de raza negra parecen beneficiarse más que los blancos al aumentar la ingesta de potasio.

En un punto, los diuréticos fueron considerados el medicamento más favorable para los individuos de raza negra con hipertensión. Pero los lineamientos recientes recomiendan la terapia combinada —como un diurético combinado con un inhibidor de la ECA o un BRA— para la mayoría de las personas de raza negra con hipertensión. La terapia combinada permite mayor efectividad en la reducción de la presión arterial y menores dosis de cada medicamento, con menos riesgo de efectos secundarios.

La prevalencia de hipertensión entre algunas poblaciones de indios estadounidenses es mayor que en las de raza blanca. Entre los hispanos, estadounidenses asiáticos e isleños del Pacífico, la incidencia de presión arterial alta es ligeramente menor que en las personas de raza blanca.

Otras condiciones

A menudo, la presión arterial alta se acompaña de otras condiciones médicas que hacen que sea más difícil de tratar y controlar. Por ello, si tiene otra enfermedad crónica además de la presión arterial alta, es especialmente importante que vea al médico con regularidad.

Problemas cardiovasculares

Las condiciones cardiovasculares que coexisten frecuentemente con la hipertensión incluyen:

Arritmia. La presión arterial alta puede hacer que el corazón lata a un ritmo irregular. Está en mayor riesgo de desarrollar esta condición si la sangre contiene niveles bajos de potasio o magnesio. Esto sucede algunas veces debido al tratamiento si está tomando un diurético. Una presión del pulso alta aumentará el riesgo también (véase página 238).

Controlar la hipertensión disminuye la exigencia sobre la capacidad del corazón de bombear y reduce el riesgo de complicaciones cardiovasculares como el crecimiento del ventrículo izquierdo del corazón. Esto a cambio reduce la probabilidad de desarrollar arritmia.

Para ayudar a controlar o prevenir la arritmia, con el consentimiento

Presión del pulso

La presión del pulso es la diferencia entre la presión sistólica y la diastólica. Por ejemplo, si la presión sistólica es 120 mm Hg y la diastólica es 80 mm Hg, la presión del pulso es 40. La presión del pulso alta —más de 50 mm Hg— podría ser un signo de hipertensión sistólica aislada (HSA), en la cual la presión sistólica es muy alta pero la diastólica sigue siendo normal. Una presión del pulso alta en adultos mayores aumenta el riesgo de enfermedad cardiovascular y ataque vascular cerebral. La presión del pulso y los riesgos acompañantes a menudo se reducen con una disminución de la presión sistólica.

del médico, coma muchos alimentos que contengan potasio y magnesio, como las frutas y verduras frescas. Si esto no ayuda, el médico podría recomendarle que tome suplementos que mantengan los niveles de potasio y magnesio dentro de lo normal.

Además, tomar un suplemento de aceite de pescado también podría ayudar. El aceite de pescado, el cual tiene alto contenido en ácidos grasos omega-3, ha mostrado reducir el riesgo de muerte súbita por arritmia. La *American Heart Association* recomienda comer dos raciones a la semana de pescado graso para ayudar a reducir el riesgo de que desarrolle enfermedad cardiovascular.

Arterioesclerosis y aterosclerosis. Con el tiempo, la presión alta en las arterias puede hacer que las paredes de los vasos se engruesen y endurezcan —a menudo esta situación restringirá el flujo sanguíneo—. Este proceso se llama arterioesclerosis, o endurecimiento de las arterias. La aterosclerosis es un tipo específico de arterioesclerosis causado por la acumulación de placas grasas en las paredes de las arterias (para más información acerca de estas condiciones, véanse páginas 33-34).

Los factores de riesgo, además de la presión arterial alta, incluyen tabaquismo, lípidos anormales, demasiado peso, falta de ejercicio, diabetes y consumo de alcohol excesivo. El médico podría pedirle que maneje mejor estos factores.

El médico también podría prescribir una dosis baja de un diurético o un betabloqueador para reducir el volumen de sangre. Los inhibidores de la ECA y los BRA pueden ayudar a revertir la rigidez de los vasos sanguíneos.

Enfermedad coronaria. La presión arterial alta a menudo coexiste con la enfermedad coronaria. Tener presión arterial alta aplica fuerza adicional sobre las paredes de las arterias, lo cual puede dañar los vasos sanguíneos y aumentar el riesgo de aterosclerosis. La aterosclerosis obstruye los vasos sanguíneos, incluyendo las arterias coronarias —el sistema circulatorio del corazón—. El flujo sanguíneo inadecuado daña al músculo cardiaco, aumentando el riesgo de dolor en el pecho (angina), ataque cardiaco e insuficiencia cardiaca.

Los diuréticos, betabloqueadores, inhibidores de la ECA, BRA y antagonistas de la aldosterona a menudo se usan para tratar a las personas con presión arterial alta y enfermedad coronaria porque, además de reducir la presión arterial, disminuyen el riesgo de ataque cardiaco e insuficiencia cardiaca. Un betabloqueador y un antagonista del calcio se pueden prescribir para aliviar la angina y, en algunos casos, reducir el riesgo de un segundo ataque cardiaco. Los betabloqueadores han demostrado reducir la cantidad de placas ateroscleróticas en las arterias coronarias.

Un régimen de dosis baja de aspirina (81 mg) para personas con presión arterial alta controlada puede ayudar a reducir el riesgo de problemas cardiovasculares y la recurrencia de ataque cardiaco y ataque vascular cerebral. En ciertos casos, el tratamiento quirúrgico de las arterias coronarias, incluyendo angioplastia y la colocación de *stents*, se puede considerar para mantener los vasos abiertos.

Insuficiencia cardiaca. La insuficiencia cardiaca puede ser el resultado de un corazón crecido y debilitado, el cual tiene dificultad para bombear suficiente sangre para cumplir con los requerimientos del cuerpo (véanse páginas 46-47). A veces, el bombeo puede ser normal, pero un engrosamiento en la cámara de bombeo en el lado izquierdo del corazón no permite una expansión y relajación normal del músculo (insuficiencia cardiaca diastólica). En algunos casos, esto puede causar que se acumule líquido en los pulmones o en los pies y piernas.

Por esta razón, el médico establecerá una meta de presión arterial menor, de manera que el corazón no tenga que trabajar tanto. De hecho, el beneficio más remarcable de la hipertensión bien controlada es que puede reducir el riesgo de desarrollar insuficiencia cardiaca por más de 50 por ciento.

Los inhibidores de la ECA, los BRA y los diuréticos pueden prescribirse si tiene insuficiencia cardiaca además de hipertensión. Los inhibidores de la ECA y los BRA reducen la presión arterial dilatando los vasos sanguíneos, sin interferir con la acción de bombeo del corazón. Los diuréticos reducen la acumulación de líquidos. Los diuréticos ahorradores de potasio espironolactona y eplerenona —los cuales bloquean la aldosterona— han mostrado tener beneficios para salvar la vida en personas con insuficiencia cardiaca.

En la mayoría de los casos también puede ser adecuado un betabloqueador. Si no tolera los inhibidores de la ECA, se puede prescribir una opción alternativa como un BRA. Dependiendo de las circunstancias, podría elegir ver a un especialista en insuficiencia cardiaca debido a que los programas de tratamiento son complejos y podría necesitarse considerar un trasplante cardiaco.

Colesterol alto. Muchas personas con presión arterial alta también tienen colesterol alto. Debido a que tener ambas condiciones aumenta el riesgo de ataque cardiaco y ataque vascular cerebral, recibirá beneficios adicionales al ser capaz de reducir tanto el colesterol como la presión arterial.

Los mismos cambios de estilo de vida que ayudan a reducir la presión arterial también pueden ayudar a reducir los niveles de colesterol. Sin embargo, muchas personas con colesterol alto pueden también necesitar un medicamento

para reducir el colesterol. Varios estudios sugieren que las estatinas, un tipo de medicamento que se utiliza para reducir el colesterol, también parecen ayudar a reducir la presión arterial sistólica, pero se necesita más investigación para confirmar estos resultados.

Con respecto a los medicamentos para la presión arterial, no debe tomar dosis altas de tiacidas y diuréticos de asa si también tiene colesterol alto. Pueden aumentar el nivel de colesterol y de triglicéridos, otro tipo de grasa de la sangre. Sin embargo, las dosis bajas de estos medicamentos no producen los mismos efectos. Los betabloqueadores también pueden elevar ligeramente el colesterol. Si necesita tomar dosis altas de un betabloqueador, tener una buena dieta y tomar medicamentos para el colesterol pueden ayudar a contrarrestar el aumento del mismo.

Los medicamentos que se prescriben con frecuencia cuando existe presión arterial alta y colesterol alto son inhibidores de la ECA, BRA, bloqueadores del canal de calcio, alfabloqueadores, agentes de acción central y dosis bajas de diuréticos. Un medicamento que combina un bloqueador del canal de calcio y una estatina podría estar disponible con dosis adecuadas de los medicamentos individuales.

También es importante evitar comer naranjas agrias, pomelos y toronjas y tomar jugo de toronja si está tomando una estatina reductora del colesterol. Esto se debe a que una interacción entre el jugo de estas frutas y la estatina puede ocasionar acumulación del medicamento en la sangre. Lo mismo sucede con algunos bloqueadores del canal de calcio; por ello pregunte al médico qué recomienda.

Ataque vascular cerebral y ataque isquémico transitorio. La presión arterial alta aumenta el riesgo de ataque vascular cerebral y ataque isquémico transitorio (AIT). Si es mayor de 55 años y tiene una presión del pulso alta, podría estar en mayor riesgo. A la edad de 55 años con presión arterial normal, el riesgo para toda la vida de ataque vascular cerebral es de uno de cinco para las mujeres y uno de seis para los varones. Este riesgo se duplica en personas con presión arterial alta (véase páginas 35-36).

La terapia trombolítica puede ayudar a reducir los efectos de un ataque isquémico si se administra en las primeras horas después de la presentación de los síntomas. El medicamento para deshacer los coágulos (trombolítico) se inyecta dentro de las arterias para disolver el coágulo de sangre —una causa común de ataque vascular cerebral—. Si piensa que tiene síntomas de un ataque vascular cerebral, incluyendo adormecimiento súbito de la cara, brazo o pierna, dificultad para hablar y mareo

repentino, busque tratamiento médico de emergencia de inmediato.

Si ha tenido un ataque vascular cerebral o un AIT, el médico podría indicar un diurético y un inhibidor de la ECA para ayudar a reducir el riesgo de un segundo evento. Los BRA y los bloqueadores del canal de calcio también se pueden prescribir. Usar estos medicamentos para reducir la presión arterial puede reducir el riesgo de otro ataque vascular cerebral incluso si nunca ha tenido hipertensión. Un estudio encontró que los inhibidores de la ECA fueron especialmente efectivos en la reducción del riesgo de ataque vascular cerebral. La aspirina y otros medicamentos que inhiben la coagulación de la sangre son importantes para prevenir la recurrencia. En algunos casos se puede realizar la angioplastia y la colocación de *stent* u otros procedimientos quirúrgicos en las arterias carótidas.

Alteración cognitiva vascular

La presión arterial alta puede causar o exacerbar un estrechamiento y bloqueo extenso de las arterias pequeñas y grandes que suministran sangre al cerebro. La reducción del aporte sanguíneo puede producir una serie de ataques vasculares cerebrales pequeños o incluso extensos, lo cual origina múltiples áreas de tejido cerebral dañado. El resultado es una alteración de muchas habilidades fisiológicas y cognitivas como hablar, razonar,

memoria, visión y movimiento. Esta condición se conoce como alteración cognitiva vascular, o más tradicionalmente, demencia vascular. Aunque la conexión no está clara por completo, la enfermedad de Alzheimer es también más común en personas con hipertensión no controlada.

Aunque el daño en el tejido cerebral no se puede revertir, se puede evitar daño adicional. La mayoría de los estudios indica que controlar la presión arterial alta puede detener el daño adicional y disminuir el riesgo añadido de demencia y alteración cognitiva.

Síndrome metabólico

El síndrome metabólico es un grupo de condiciones modificables que se presentan juntas en un patrón reconocible. Aunque la definición del síndrome varía, por lo general se incluyen las siguientes condiciones:

- Obesidad, en particular llevando mucho peso alrededor de la cintura —tener una "forma de manzana" (véanse páginas 58-59)—. Esto significa una circunferencia de la cintura mayor de 102 cm en los varones y mayor de 90 cm en las mujeres (entre los asiáticos, más de 88 cm en los varones y más de 80 cm en las mujeres).
- Presión arterial elevada (135/85 mm Hg o más) o tomar medicamentos para la hipertensión.
- Nivel elevado de triglicéridos —150 miligramos por decilitro

(mg/dL) o más— y nivel bajo de colesterol "bueno" de lipoproteína de alta densidad (HDL) (menos de 40 mg/dL en varones y menos de 50 mg/dL en mujeres), o tomar medicamentos para reducir los triglicéridos.

- Glucosa en sangre alta (100 mg/dL o más) o tomar medicamentos para controlar la glucosa.

Cualquiera de estos tres criterios constituyen un diagnóstico de síndrome metabólico. Tener sólo una de estas condiciones aumenta el riesgo de enfermedad cardiaca, ataque vascular cerebral y diabetes. En combinación, el riesgo es todavía mayor (véase página 42).

La investigación para la comprensión del complejo proceso que forma este síndrome está en marcha. Muchos piensan que las causas subyacentes son la obesidad abdominal y la resistencia a la insulina —una hormona fabricada por el páncreas que ayuda a controlar la cantidad de glucosa en la sangre—.

Los diferentes componentes del síndrome metabólico, por lo general, se tratan al mismo tiempo pare reducir el riesgo. Ejercitarse con regularidad, perder peso, dejar de fumar, y reducir la ingesta de sodio, azúcar, grasa saturada y grasas trans ayuda a mejorar todos los aspectos del síndrome metabólico, incluyendo reducción

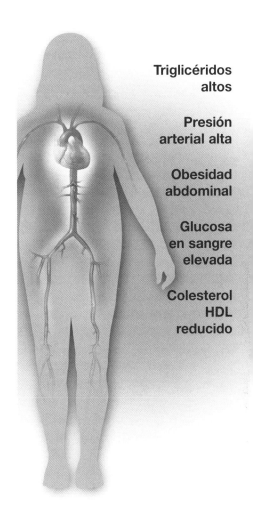

Triglicéridos altos

Presión arterial alta

Obesidad abdominal

Glucosa en sangre elevada

Colesterol HDL reducido

Síndrome metabólico

Un grupo de trastornos del metabolismo del cuerpo —que incluye hipertensión, elevación de la glucosa en la sangre, exceso de peso corporal y niveles anormales de colesterol y triglicéridos— lo hace más susceptible a desarrollar diabetes, enfermedad cardiaca y ataque vascular cerebral.

de la presión arterial y reducción de colesterol y niveles de glucosa en la sangre.

Si las modificaciones del estilo de vida no son suficientes, el médico podría prescribir medicamentos para reducir la presión arterial, controlar el colesterol o promover la pérdida de peso. Los sensibilizadores a la insulina podrían ayudar a que el cuerpo use la insulina con más eficacia. La terapia con aspirina podría ayudar a reducir el riesgo de ataque cardiaco y ataque vascular cerebral.

No todos los expertos están de acuerdo con la definición del síndrome metabólico, o si incluso existe como una condición médica distintiva. Los médicos han hablado acerca de este conjunto de factores de riesgo durante años y le han llamado por muchos nombres, incluyendo síndrome X y síndrome de resistencia la insulina. Como sea que se llame, y como sea que se defina, el síndrome aparentemente se está haciendo más prevalente.

Diabetes

La diabetes y la hipertensión tienen una asociación estrecha. Cerca de dos tercios de los adultos con diabetes tienen presión arterial alta; y, a la inversa, personas con hipertensión no tratada tienen una mayor incidencia de diabetes. Tener ambas condiciones es una preocupación importante.

Muchas de las complicaciones asociadas con diabetes se pueden atribuir a tener hipertensión. La presión arterial alta también aumenta las probabilidades de muerte por diabetes. Una combinación de presión arterial alta, diabetes, colesterol alto y tabaquismo lo pone en un riesgo extremadamente alto de ataque cardiaco.

Intente un excelente control de la presión arterial, la glucosa en sangre (azúcar) y las grasas de la sangre. Si tiene diabetes e hipertensión, querrá reducir la presión arterial a 130/80 mm Hg o menos. Si tiene también enfermedad renal, el médico podría recomendar establecer una meta incluso menor.

Los cambios en el estilo de vida pueden ayudar a reducir el riesgo de complicaciones importantes por la diabetes y la hipertensión: comer una dieta saludable, hacer actividad física regular, limitar el uso de alcohol y, si fuma o masca tabaco, dejar de hacerlo.

Las personas que también tienen colesterol alto responden bien a un manejo agresivo. Los cambios en el estilo de vida pueden reducir el riesgo de desarrollar diabetes a la mitad si tiene prediabetes, alteración de la glucosa en ayuno u obesidad.

La terapia médica por lo general consta de inhibidores de la ECA o BRA. Ayudan a proteger los riñones, los cuales están en un riesgo mayor de daño si tiene ambas enfermedades. Estos medicamentos también tienen relativamente pocos efectos secundarios.

Los diuréticos, betabloqueadores y bloqueadores del canal de calcio también se pueden usar para reducir la presión arterial y prolongar la vida. Los alfabloqueadores por lo general se recomiendan al final porque podrían fomentar la hipertensión ortostática, un problema en algunas personas con diabetes, y aumentar el riesgo de insuficiencia cardiaca.

A menudo se necesita la terapia combinada para alcanzar la meta establecida. Si está tomando diuréticos, el médico intentará mantener los niveles sanguíneos de potasio en el rango normal —por medio de la dieta o de suplementos— para reducir la probabilidad de diabetes de reciente inicio. Si la presión arterial está controlada, a menudo se aconseja la aspirina diaria.

Apnea del sueño

La apnea obstructiva del sueño es un trastorno en el cual la respiración se detiene y se inicia varias veces durante el sueño. Es relativamente común en personas con presión arterial alta, en particular en personas con una forma difícil de controlar. La somnolencia durante el día, los ronquidos y las pausas prolongadas en la respiración durante el sueño son claves de que la condición

podría estar presente. Las vías aéreas obstruidas, así como alteraciones en la forma en que el cerebro controla la respiración, pueden causar la apnea del sueño.

Aunque la obesidad es un factor de riesgo para la hipertensión y para la apnea del sueño, estudios recientes sugieren que la apnea del sueño contribuye de manera independiente con la hipertensión, ya sea que la persona sea obesa o no. Una teoría se centra en el hecho de que cuando la respiración se detiene durante el sueño, estas pausas activan las vías nerviosas simpáticas —la parte del sistema nervioso que prepara al cuerpo para reaccionar al estrés o al peligro—.

Activar este sistema "despierta" al cuerpo de manera que pueda empezar a respirar otra vez. La activación exagerada de este sistema, como sucede en personas con apnea del sueño, podría dar como resultado un aumento sostenido de la presión arterial.

Se necesitan hacer más estudios acerca de la relación entre la apnea del sueño y la hipertensión. Es probable que al tratar la apnea del sueño —con terapia de presión positiva continua en las vías aéreas (CPAP, por sus siglas en inglés), pérdida de peso y ejercicio regular— mejore la presión arterial de día y de noche, y que disminuya el riesgo de enfermedad cardiovascular.

Enfermedad renal

Los riñones juegan un papel vital en la eliminación de líquido extra y desechos del cuerpo. Esto ayuda a mantener la presión arterial bajo control. Sin embargo, si los vasos sanguíneos de los riñones se dañan por la hipertensión, los órganos se hacen menos eficientes. Esto permite que el exceso de líquido permanezca en el sistema circulatorio, empeorando la hipertensión. A su vez, la presión arterial alta debilita más a los riñones, creando un ciclo peligroso.

La mayoría de las personas con enfermedad renal crónica también tiene presión arterial alta. Mientras más alterados estén los riñones, mayor es el riesgo de enfermedad coronaria, la cual es una causa común de discapacidad y muerte entre las personas que tienen enfermedad renal crónica.

Con el tiempo, la presión arterial alta puede producir insuficiencia renal, una condición en la cual los riñones ya no funcionan. En esta etapa terminal se debe sostener la vida con diálisis renal o trasplante renal.

Si tiene enfermedad renal y cardiovascular como resultado de la hipertensión, necesitará medicamentos y cambios del estilo de vida para prevenir daño adicional a los riñones y sistema cardiovascular. Las personas de raza negra son más susceptibles que las de raza blanca para desarrollar problemas renales por la hipertensión. El tratamiento temprano de la hipertensión es la mejor opción para evitar que se presenten los problemas renales.

Si tiene presión arterial alta y enfermedad renal, la meta es reducir la presión arterial a menos de 130/80 mm Hg, o menos si tiene enfermedad renal grave. Una vez que se reduzca la presión arterial, la declinación en la función renal también se retrasa. Si tiene insuficiencia renal avanzada, probablemente tendrá necesidades dietéticas especiales que es mejor discutir con un nutriólogo.

Reducir el sodio en la dieta es importante debido a que la función renal alterada aumenta el nivel de sodio y líquidos en la sangre. Los diuréticos también ayudan a eliminar el exceso de líquidos. Los inhibidores de la ECA y los BRA a menudo son los mejores medicamentos para evitar mayor daño a los riñones, y se pueden combinar con un diurético. Sin embargo, necesitan usarse con precaución debido al potencial de efectos secundarios, como demasiado potasio en la sangre (hiperpotasiemia). Por lo general, se necesitan múltiples fármacos para lograr la meta de presión arterial.

Una causa potencialmente reversible de insuficiencia renal es el estrechamiento de la arteria principal que llega a uno o a ambos riñones (véanse páginas 48-49). La aterosclerosis es la causa más común. El médico puede considerar ampliar la arteria estrecha por medio de angioplastia, *stent* o cirugía si la respuesta a la terapia farmacológica agresiva es inadecuada.

Disfunción sexual

Cierta evidencia indica que la disfunción sexual es más alta entre las personas con hipertensión no controlada. Los factores de riesgo adicionales son similares a los de la enfermedad cardiaca: diabetes, grasas sanguíneas anormales, obesidad y falta de actividad física.

En los varones, la disfunción eréctil (DE) es más probable en aquellos con hipertensión no tratada que en aquellos que toman medicamentos. Los diuréticos también se pueden asociar con DE. Los betabloqueadores se han asociado con DE en igual grado que otros antihipertensivos, pero es probable que esto varíe con el tipo de betabloqueador utilizado.

Aunque la disfunción sexual no se ha estudiado de manera tan extensa en mujeres con presión arterial alta como en los varones, un reporte reciente encontró que la disfunción sexual en mujeres aumentó con la edad y el tiempo que habían tenido hipertensión. El control adecuado de la presión arterial disminuyó la prevalencia de disfunción sexual en los participantes, aunque el tratamiento con betabloqueadores tendió a aumentar la disfunción sexual. Los inhibidores de la ECA y los BRA parecen ser menos problemáticos en este aspecto para las mujeres. También ayudó mejorar la excitación y la lubricación.

Antes de empezar un medicamento antihipertensivo, no olvide discutir su función sexual actual con el médico. Reporte cualquier cambio después de empezar el medicamento. Si hay problemas, puede estar disponible otro medicamento que no interfiera con la función sexual. Para los varones, un tipo de medicamentos que incluyen sildenafil, tadalafil y vardenafil, por lo general, constituye un tratamiento aceptable para DE aceptable. Pregunte al médico si es adecuado para usted.

Hipertensión difícil de controlar

¿Qué pasa si ha estado siguiendo las órdenes del médico, vigilando su peso, haciendo ejercicio y tomando sus medicamentos, pero todavía no puede reducir su presión arterial?

Podría ser que esté entre el pequeño grupo de personas con hipertensión cuya presión es resistente, o refractaria —lo cual significa que no responde por completo al tratamiento—. La hipertensión resistente se define como presión arterial que no se puede reducir a más de

140/90 mm Hg (o 130/80 mm Hg si tiene diabetes, enfermedad cardiaca o enfermedad renal) usando una combinación de tres tipos diferentes de medicamentos, incluyendo un diurético.

Es raro que los medicamentos no reduzcan la presión arterial a la meta establecida en el programa de tratamiento. A menudo toma tiempo e intentos con diferentes fármacos y dosis para encontrar la combinación que funciona mejor.

Si el medicamento no está funcionando, muchas veces el primer paso es intentar un tipo diferente de fármaco o una combinación diferente de medicamentos en dosis única. Ciertos fármacos simplemente funcionan mejor para algunas personas que para otras.

El siguiente paso podría ser agregar otro medicamento a uno de los que ya está tomando, tal vez un tercero o —si tiene diabetes, enfermedad cardiaca o insuficiencia renal y tiene menores metas de presión arterial— incluso un cuarto medicamento. Los medicamentos que funcionan en combinación tienen efectos más poderosos en la presión arterial que lo que tendrían si los tomara por separado.

Rara vez una persona empieza tomando tres medicamentos diferentes para la hipertensión, pero algunas veces este tratamiento

¿Sus lecturas de la presión arterial están equivocadas?

En casos raros, la hipertensión resistente puede ser el resultado de un error en el diagnóstico. Varios factores pueden hacer que la presión arterial parezca más alta de lo que realmente es. Estos son:

- Seudohipertensión.
- Hipertensión de bata blanca.
- Tamaño del brazalete es demasiado pequeño para el brazo.

Véase la página 68 para más información acerca de seudohipertensión e hipertensión de bata blanca.

podría ser necesario —en especial si la meta de presión arterial es menor de 130/80 mm Hg—. Los aspectos comunes incluyen una terapia diurética inadecuada o la necesidad de un diurético más poderoso, como un diurético de asa.

A menudo, la hipertensión resistente se origina por no hacer los cambios de estilo de vida necesarios para reducir la presión arterial. Si la hipertensión no ha respondido a la terapia farmacológica, hágase las siguientes preguntas:

- *¿He estado tomando mi medicamento exactamente como está prescrito?* Tome su medicamento exactamente como lo ha ordenado el médico, o podría no funcionar. Si piensa que el costo de las

pastillas es demasiado o encuentra que el régimen es muy difícil de seguir, hable con el médico. A menudo se pueden encontrar medicamentos menos caros que pueda tomar sólo una vez al día.

- *¿Le dije al médico todos los medicamentos y productos de herbolaria que tomo?* Muchos medicamentos y suplementos, que incluyen productos de venta sin receta, podrían interferir con el medicamento para la hipertensión. Estos incluyen antiinflamatorios no esteroideos (AINE), medicamentos esteroides, fármacos para el resfriado, compuestos semejantes a la efedra, y hierbas como la yohimbina.
- *¿He reducido el sodio?* Esto no significa sólo la sal de mesa.

Incluso si no le está poniendo sal a la comida, podría estar consumiendo alimentos procesados con demasiado sodio. Lea las etiquetas del empaque para determinar cuánto sodio contiene una ración.

- *¿Estoy tomando demasiado alcohol?* El alcohol puede mantener elevada la presión arterial, en especial si consume grandes cantidades en un tiempo corto. El medicamento puede no ser suficiente para contrarrestar los efectos del alcohol, y el alcohol puede interferir con la acción del medicamento.
- *¿He intentado seriamente dejar de fumar?* Al igual que el alcohol, los productos del tabaco pueden mantener la presión arterial elevada de manera persistente si los usa con frecuencia.
- *¿He aumentado de peso?* Por lo general, perder peso disminuye la presión arterial. El aumento de peso —tan poco como 5 kg— puede aumentarla y hacerla más difícil de controlar.
- *¿He dormido bien?* La apnea del sueño puede aumentar la presión arterial (véanse páginas 245-246). El trastorno se presenta con más frecuencia en adultos mayores. Aliviar la condición puede reducir la presión arterial.

Si usted y el médico han agotado estas posibilidades, todavía existen otras opciones. Para empezar, podría necesitar considerar reforzar los cambios positivos en su estilo de vida. Si puede caminar otra cuadra, perder 500 g más o hacer mejorías adicionales en la dieta, la presión arterial podría tornarse menos resistente al tratamiento. Reconsidere las causas reversibles de la presión arterial alta con el médico, incluyendo medicamentos para otras enfermedades, ciertos suplementos o alimentos, o condiciones como anormalidades renales.

Sus otras opciones incluyen agregar un cuarto medicamento a su régimen diario o aumentar la dosis de su medicamento actual. Los bloqueadores de la aldosterona en particular pueden jugar un papel importante en los casos de hipertensión resistente. El peligro de aumentar las dosis es un mayor riesgo de efectos secundarios ocasionados por el medicamento. Si no ha estado viendo a un especialista en hipertensión, pídale al médico una referencia.

Se están investigando nuevos tratamientos para la hipertensión resistente, que incluyen a un grupo de medicamentos llamados antagonistas de la endotelina y un dispositivo implantado que estimula los senos carotídeos, las partes especializadas de las arterias carótidas en el cuello que funcionan en la regulación de la frecuencia cardiaca y la presión arterial.

Recordatorio

Puntos clave a recordar:

- Las mujeres y niños tienen aspectos específicos relacionados con la hipertensión que ameritan atención especial.
- La hipertensión durante el embarazo se debe monitorizar estrechamente debido al riesgo que existe para la madre y el bebé si se deja sin tratamiento.
- La hipertensión en niños a menudo es un signo de otro problema de salud.
- La hipertensión en personas de raza negra parece más susceptible a desarrollarse a una menor edad y dar como resultado complicaciones más graves que en los individuos de la mayoría de los otros grupos étnicos en Estados Unidos.
- El tratamiento agresivo es necesario cuando la hipertensión está asociada con otra condición como diabetes, colesterol alto, enfermedad cardiovascular, ataque vascular cerebral o enfermedad renal.
- No se conforme con una hipertensión mal controlada. Trabaje con el médico para lograr sus metas de tratamiento.

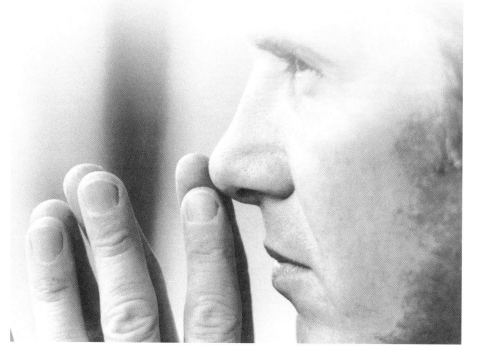

Glosario

A

aldosterona. Hormona secretada por las glándulas suprarrenales que regula el equilibrio del sodio y el agua en el cuerpo.

alfabloqueador. Un medicamento que bloquea los alfa receptores en las arterias, haciendo que los vasos sanguíneos se relajen. Por lo general, se prescribe en combinación con otros medicamentos.

angiotensina II. Sustancia que hace que se estrechen (constriñan) los vasos sanguíneos y que estimula la liberación de aldosterona.

antihipertensivos. Nombre que se le da a todos los medicamentos utilizados para controlar la presión arterial alta.

aorta. La arteria más grande, la cual recibe sangre del ventrículo izquierdo del corazón y la suministra a las otras arterias en el sistema circulatorio.

arritmia. Latido cardiaco anormal.

arteria. Vaso sanguíneo que lleva sangre oxigenada del corazón a otros tejidos del cuerpo.

arteria pulmonar. Vaso sanguíneo principal que lleva sangre carente de oxígeno desde el corazón a los pulmones.

arterias carótidas. Las principales arterias localizadas en el cuello que portan sangre al cerebro.

arterias coronarias. Las arterias que aportan sangre al corazón.

arterioesclerosis. Condición en la cual las paredes de las arterias se hacen duras y gruesas, interfiriendo algunas veces con la circulación de la sangre.

ataque cardiaco. Interrupción en el flujo sanguíneo al corazón, causando la muerte de una parte del músculo cardiaco. A menudo se debe al bloqueo de una o más arterias coronarias.

ataque isquémico transitorio (AIT). Un evento semejante a un ataque vascular cerebral causado por el bloqueo temporal de un vaso sanguíneo por algo como un coágulo sanguíneo. Es diferente al ataque vascular cerebral en que los signos y síntomas, por lo general, desaparecen por completo dentro de 24 horas.

ataque vascular cerebral. Daño al cerebro causado por una alteración del flujo sanguíneo, ya sea por bloqueo de una arteria o por una rotura de la pared arterial.

aterosclerosis. Condición en la cual los depósitos grasos (placas) se acumulan en la capa interior de las arterias, dando como resultado vías estrechas para que la sangre fluya.

aurículas. Cavidades o cámaras, como las dos cámaras del corazón que reciben la sangre de las venas.

B

betabloqueador. Medicamento que limita la actividad de la epinefrina, una hormona que aumenta la presión arterial y la frecuencia cardiaca.

bloqueador del canal de calcio. Medicamento que reduce la presión arterial al regular la actividad relacionada con el calcio en el corazón y los vasos sanguíneos. También llamado antagonista del calcio.

bloqueador del receptor de la angiotensina II (BRA). Medicamento para la presión arterial que bloquea la acción de la angiotensina II en los vasos sanguíneos. Este medicamento afecta a la angiotensina II en diferentes etapas que el inhibidor de la ECA.

C

capilares. Vasos sanguíneos diminutos que conectan las arterias más pequeñas con las venas más pequeñas, formando redes intrincadas en todo el cuerpo.

cardiaco. Relacionado con el corazón o situado cerca de éste.

cardiología. El estudio del corazón y su función en estado de salud y en la enfermedad.

cardiomiopatía. Trastorno muscular que altera la capacidad del corazón para bombear sangre.

cardiopulmonar. Relacionado con el corazón y los pulmones.

cardiovascular. Relacionado con el corazón y los vasos sanguíneos.

ciclo cardiaco. Secuencia de eventos que se llevan a cabo en el corazón, desde el principio de un latido hasta el principio del siguiente.

colesterol. Lípido o sustancia semejante a grasa que se encuentra en el torrente sanguíneo y en las células del cuerpo. Las personas con niveles altos de colesterol durante un periodo prolongado están en mayor riesgo de enfermedad cardiaca.

colesterol HDL. Colesterol de lipoproteína de alta densidad —el colesterol "bueno"—. Un tipo de colesterol sanguíneo que se piensa ayuda a proteger de la acumulación de depósitos grasos en los vasos sanguíneos, lo cual produce aterosclerosis.

colesterol LDL. Colesterol de lipoproteína de baja densidad —el colesterol "malo"—. Un tipo de colesterol en la sangre que, en cantidades excesivas, tiende a acumularse a lo largo de las paredes arteriales, obstruyendo el flujo sanguíneo.

coronario. Relacionado con los vasos sanguíneos del corazón.

D

diabetes. Enfermedad crónica caracterizada por niveles altos de glucosa (azúcar) en la sangre, a menudo dando como resultado un daño grave al corazón, vasos sanguíneos, riñones y nervios.

diástole. Una etapa del ciclo cardiaco en la cual el músculo cardiaco se relaja, permitiendo que la sangre entre a los ventrículos (cámaras inferiores) desde las aurículas (cámaras superiores). Desde los ventrículos, la sangre se bombeará fuera del corazón y hacia la aorta.

diurético. Medicamento que aumenta el flujo de orina fuera del cuerpo. A menudo, se usa para tratar condiciones que incluyen exceso de líquidos corporales, como hipertensión e insuficiencia cardiaca congestiva.

E

edema. Inflamación de tejido corporal debida a la acumulación de exceso de líquido.

enfermedad coronaria. Estrechamiento o bloqueo de una o más de las arterias coronarias, dando como resultado disminución del aporte sanguíneo al músculo cardiaco.

epinefrina. Hormona que se presenta naturalmente, también

conocida como adrenalina, que ayuda a preparar al cuerpo para el peligro o el estrés. Acelera la respiración y la frecuencia cardiaca y aumenta la presión arterial.

esfigmomanómetro. Dispositivo usado para medir la presión arterial sistólica y diastólica, el cual se puede operar manual o electrónicamente.

estetoscopio. Instrumento utilizado para escuchar los sonidos producidos en el cuerpo, como el sonido de la sangre fluyendo por las arterias.

F

factores de riesgo. Factores que aumentan las probabilidades de desarrollar una enfermedad o condición.

frecuencia cardiaca. El número de contracciones del corazón en un minuto, lo cual puede variar de acuerdo con cuánto oxígeno se requiere.

G

gasto cardiaco. Volumen de sangre que el corazón bombea hacia el sistema circulatorio en un minuto.

genético. Relacionado con los genes y con la herencia de los padres a su descendencia.

glucosa. Carbohidrato, también conocido como azúcar de la sangre, que es la principal fuente de energía del cuerpo.

H

herencia. La transmisión de rasgos genéticos de los padres a su descendencia.

hipernatriemia. Condición causada por niveles de sodio en la sangre más altos de lo normal.

hiperpotasiemia. Condición causada por niveles de potasio en la sangre más altos de lo normal.

hipertensión. Presión arterial alta.

hiponatriemia. Condición causada por niveles de sodio en la sangre menores de lo normal.

hipopotasiemia. Condición causada por niveles de potasio en la sangre menores de lo normal.

hipotensión. Presión arterial baja.

hipotensión ortostática. Una caída significativa de la presión arterial sistólica cuando un individuo asume una posición de pie. Puede causar mareo, vahídos o desvanecimiento.

I

inhibidor de la enzima convertidora de la angiotensina (ECA). Medicamento que reduce la presión arterial al interrumpir la formación de angiotensina II.

inhibidor de la renina. Medicamento que reduce la producción de angiotensina II, un químico que hace que se constriñan los vasos sanguíneos.

insuficiencia cardiaca. Condición en la cual un músculo cardiaco debilitado es incapaz de bombear suficiente sangre para cubrir las necesidades del cuerpo.

L

lípido. Grasa o sustancia semejante a la grasa en el torrente sanguíneo y en las células corporales, como el colesterol.

M

miocardio. La capa de tejido muscular en la pared del corazón.

mm Hg. Una abreviación de milímetros de mercurio. La presión arterial se mide en estas unidades.

N

noradrenalina. Véase norepinefrina.

norepinefrina. Hormona que se presenta naturalmente y que entra en acción cuando el cuerpo está bajo estrés. Esta hormona aumenta la frecuencia cardiaca y la presión arterial y afecta otras funciones corporales. También llamada noradrenalina.

P

placas. Depósitos de células grasas y otras sustancias en la capa interna de los vasos sanguíneos, que dan como resultado arterias estrechas y menos flexibles y obstrucción del flujo sanguíneo.

potasio. Mineral esencial que ayuda a controlar el ritmo cardiaco. También importante para el sistema nervioso y para la función muscular.

preeclampsia. Enfermedad que se puede presentar en las etapas avanzadas del embarazo que está caracterizada por presión arterial alta y exceso de proteína en la orina.

presión arterial. La fuerza encargada de mantener la sangre circulando continuamente por todo el cuerpo. La presión se aplica a las paredes internas de las arterias por la acción de bombeo del corazón.

presión arterial alta. Condición en la cual la sangre se bombea a través del cuerpo bajo presión anormalmente alta. También llamada hipertensión.

presión del pulso. Diferencia entre las lecturas de la presión arterial sistólica y la diastólica. Una presión del pulso alta podría indicar mayor riesgo de enfermedad cardiovascular y ataque vascular cerebral.

presión diastólica. La presión arterial más baja alcanzada cuando el músculo cardiaco se relaja. Se anota como el segundo número, o el menor, en una lectura de la presión arterial.

presión sistólica. La presión arterial más alta producida por la contracción del músculo cardiaco durante la sístole. Presentado como el primer número, o el mayor, en una lectura de la presión arterial.

S

sensibilidad al sodio. Una respuesta en ciertos individuos a su ingesta de sodio, lo cual puede llevar a presión arterial más alta.

síndrome metabólico. Un grupo de trastornos del metabolismo del cuerpo, incluyendo hipertensión, niveles elevados de glucosa en sangre, exceso de peso y niveles altos de colesterol.

sistema cardiovascular. El sistema corporal que brinda un aporte constante de sangre rica en oxígeno a las células y elimina sus deshechos. El sistema incluye al corazón, las arterias, las venas y el sistema linfático.

sistema circulatorio. Relacionado con el corazón y los vasos sanguíneos,— las arterias y venas,— y con la circulación de la sangre.

sistema nervioso autónomo. Parte del sistema nervioso del cuerpo que controla las acciones involuntarias. Por ejemplo, regula la frecuencia cardiaca y controla varias glándulas.

sistema nervioso parasimpático. Un componente del sistema nervioso autónomo que hace más lenta la frecuencia cardiaca, relaja el tracto gastrointestinal y aumenta la actividad glandular.

sistema nervioso simpático. Un componente del sistema nervioso autónomo que aumenta la frecuencia cardiaca, constriñe los vasos sanguíneos y reduce la digestión.

sístole. Una etapa del ciclo cardiaco en la cual el músculo del corazón se contrae para empujar la sangre fuera del corazón hacia la aorta, seguido por la etapa de diástole.

sodio. Mineral esencial que ayuda a mantener el adecuado equilibrio de líquidos en el cuerpo.

sonidos de Korotkoff. Los sonidos en una arteria que se escuchan con un estetoscopio conforme el brazalete para la presión arterial se desinfla lentamente. Estos sonidos ayudan a determinar la presión arterial sistólica y diastólica.

soplo (bruit). Palabra francesa usada para describir el sonido del flujo sanguíneo turbulento, escuchado cuando se coloca un estetoscopio en una arteria estrecha.

V

válvula aórtica. La válvula entre el ventrículo izquierdo del corazón y la aorta.

vascular. Relacionado con los vasos sanguíneos.

vasoconstrictor. Medicamento que aumenta la presión arterial.

vasodilatador. Medicamento que amplía (dilata) los vasos sanguíneos.

vena. Vaso sanguíneo que regresa sangre carente de oxígeno al corazón. La presión en las venas tiende a ser baja.

vena cava inferior. Vena grande proveniente de la parte inferior del cuerpo que regresa la sangre al corazón.

vena cava superior. Vena grande que regresa la sangre de la cabeza y brazos al corazón.

venas pulmonares. Varios vasos sanguíneos que llevan sangre recién oxigenada de los pulmones de vuelta al corazón.

venas yugulares. Venas en el cuello que llevan sangre del cerebro y la cabeza al corazón.

venoso. Relacionado con las venas.

ventrículos. Las dos cámaras principales del corazón, localizadas por debajo de las aurículas. El ventrículo izquierdo bombea sangre oxigenada al cuerpo, y el ventrículo derecho bombea sangre desoxigenada a los pulmones.

Recursos adicionales

Para mayor información sobre hipertensión arterial y condiciones asociadas, contacte a las siguientes organizaciones:

American College of Cardiology
2400 N St. SW
Washington, DC 20037
202-375-6000
www.acc.org

American Diabetes Association
1701 N. Beauregard St.
Alexandria, VA 22311
800-342-2383
www.diabetes.org

American Heart Association
7272 Greenville Ave.
Dallas, TX 75231
800-242-8721
www.americanheart.org

American Society of Hypertension
148 Madison Ave., Fifth floor
New York, NY 10016
212-696-9099
www.ash-us.org

National Heart, Lung, and Blood Institute
P.O. Box 30105
Bethesda, MD 20824-0105
Recorded information:
800-575-9355
www.nhlbi.nih.gov

National Hypertension Association
324 East 30th St.
New York, NY 10016
212-889-3557
www.nathypertension.org

National Institute of Diabetes and Digestive and Kidney Diseases
Office of Communications and
     Public Liaison
NIDDK, National Institute of Health
31 Center Drive, MSC 2560
Bethesda, MD 20892-2560
800-438-5383
www2.niddk.nih.gov

National Kidney Foundation
30 East 33rd St.
New York, NY 10016
800-622-9010
www.kidney.org

National Stroke Association
9707 E. Easter Lane, Building B
Centennial, CO 80112
800-787-6537
www.stroke.org

World Hypertension League
100-1260 Hamilton Street
Suite 52
Vancouver, BC
Canada V6B 2S8
1-604-268-7176
www.worldhypertensionleague.org

Índice

Este libro ha sido editado y producido por Intersistemas, S.A. de C.V.
Aguiar y Seijas 75 Col. Lomas de Chapultepec 11000 México, D.F.
Teléfono 5520 2073 Fax 5540 3764 intersistemas@intersistemas.com.mx

Esta edición terminó de imprimirse en 2009 en EDAMSA impresiones
ubicada en Av. Hidalgo No.111 Col. Fracc. San Nicolás Tolentino Iztapalapa.
El tiro de esta edición consta de 1 500 ejemplares más sobrantes para reposición

Hecho en México.